questions
zen

Titre original : Zen Questions

Publié par MQ Publications Limited
12 The Ivories, 6–8 Northampton Street, London N1 2HY
Tel : 020 7359 2244 / Fax: 020 7359 1616
email: mail@mqpublications.com

© 2002 MQ Publications Limited
© Texte copyright 2002 Robert Allen
© 2003 Éditions Véga pour la traduction française

tredaniel-courrier.com
tredaniel-courrier@wanadoo.fr
ISBN : 2-85829-361-9

Imprimé en Chine

questions
zen

Robert Allen

illustrations: André Sollier

traduit de l'anglais par Bernard Dubant

ÉDITIONS VÉGA

65, rue Claude-Bernard – 75005 Paris

Pourquoi écrire un livre Zen?

L'auteur d'un livre sur le Zen ne peut gagner. Les gens qui ont un peu de compréhension le critiqueront, parce qu'il a trop dit, tandis que les nouveaux venus penseront qu'il est délibérément obscur. Pire encore, son éditeur, qui a l'habitude de payer au nombre de mots, devra être persuadé que la qualité d'un livre Zen est inversement proportionnelle à sa longueur (mon éditeur a été à cet égard un modèle de perspicacité). Et puis, bien sûr, il y a les gens qui se considèrent comme rationnels, et les têtes dures qui considéreront que tout cela est un non-sens mystique, qui ne mérite pas la moindre considération.

Cependant, la tâche est digne d'intérêt. Le Zen n'est rien que l'on puisse thésauriser. Comme toutes les bonnes choses, il est préférable de le partager. Il n'est pas mystique, il n'est pas hors de portée. Le problème, c'est qu'il est trop simple, comme quelque chose qui a été caché en le laissant en évidence, ce qui est le dernier endroit où l'on songerait à le chercher.

Pouvez-vous réelle-ment dire quelque chose de neuf au sujet du Zen?

Les histoires Zen et les *koan* sont bien connus, mais chaque nouvelle génération Zen ajoute un parfum et une compréhension particuliers. Ma propre mission est de mettre un terme à l'idée que le Zen est une importation rare et exotique de l'Orient. Plutôt que de ressembler à une délicate orchidée qui ne peut pousser que dans des conditions spéciales, le Zen, je le pense, doit être aussi commun que la marguerite et aussi utile que la pomme de terre. J'aimerais voir une génération de gens venir, qui considèreront le Zen comme une partie si intégrante de leur vie, qu'ils auront des difficultés à concevoir qu'il y a jamais rien eu d'étranger à son sujet.

À cause de sa nature même, le Zen ne sera jamais un mouvement de masse. Il est trop bizarre au goût de certains. C'est cependant la voie Zen, que de vouloir partager ce qu'on a. Une façon possible de le faire, c'est de le 'démystifier', pour que l'on puisse voir que le Zen peut avoir une influence bénéfique sur sa vie. Nombreux sont ceux qui ressentent le besoin d'un élément spirituel dans leur vie, mais que l'idée de "religion" peut rebuter. Dans de nombreux cas, le Zen pourrait leur donner ce dont ils ont besoin.

Tout le monde connaît le son produit par deux mains, mais quel est le son d'une seule main ?

Curieusement, ce koan est le premier contact que de nombreux Occidentaux ont avec le Zen. À première vue, ce ne semble pas être le meilleur endroit pour commencer, mais, après tout, ça l'est peut-être. C'est souvent la nature apparemment inatteignable du Zen qui incite les gens à aller plus profond.

Un *koan* est une question à laquelle on ne peut donner de réponse par des moyens logiques. Il n'a pas de réponse. Mais vous devez y répondre. Dans un temple Zen, les disciples vont voir régulièrement leur maître pour donner leur dernière réponse. À chaque fois, elle sera refusée. Ils retourneront à la salle de méditation et essaieront, encore et encore, de briser la plus dure des noix.

Il n'y a pas une seule réponse à aucun koan. Il y a eu des livres de "réponses" publiés, mais ils sont sans la moindre utilité. La réponse est particulière au disciple et, quand le koan sera saisi, le maître le saura.

Et alors ?

Il donnera au disciple un autre koan à casser.

D'accord, mais quel est le son produit par une seule main?

Un moine du nom de Mamiya reçut le koan du "son d'une seule main", de la part de son maître. Il ne faisait aucun progrès, et son maître le réprimanda : "Vous aimez trop manger et mener la belle vie. Et vous êtes attaché à ce son. Il serait préférable que vous mouriez. Cela résoudrait votre problème !"

Quand Mamiya vint revoir son maître pour répondre au koan, il s'effondra et fit le mort.
"Hmmm", dit le maître, "il se peut que vous soyez mort, mais qu'en est-il de ce son ?"

Mamiya ouvrit les yeux : "Je n'ai pas travaillé ça du tout", admit-il.
"Les morts ne parlent pas, dit le maître. Dehors !"

Pauvre Mamiya – Il avait tout essayé et il était au désespoir. Plus il pensait au son, plus il s'en éloignait. C'est ce qui rend le Zen plus difficile.
D'habitude, si vous faites suffisamment d'efforts,
vous réussissez. C'est ce que nous dit notre
éducation. Mais ça ne marche pas avec le Zen.
Ne pas essayer ne marche pas non plus.
Essayer de ne pas essayer est juste une
recette pour l'échec. Un koan lie les disciples
de plus en plus étroitement. Ils deviennent
de plus en plus confus et démoralisés jusqu'à
ce que, comme Alexandre le Grand
tranchant le nœud gordien, ils fassent
un effort immense pour se libérer.

Qu'est-ce que le Zen[1] ?

Le Zen est

- Tresser des anguilles vivantes dans un seau.
- Vendre de l'eau près d'une rivière.
- Gravir la face nord de l'Everest.
- L'intention inintentionnelle.

Votre vie quotidienne est très Zen.

Enseignement extérieur ; hors de la
tradition.
Non fondé sur les mots et les lettres.
Montrant directement l'esprit.
Voyant dans la nature propre
et réalisant
la bouddhéité.

Définition traditionnelle du Zen

15

Qu'est-ce que le Zen?[2]

Le Zen est simplement le mot japonais pour une expérience commune à tous les hommes, et qui a été décrite dans de nombreuses traditions et cultures du monde entier, et à toutes les périodes de l'histoire. L'expérience même n'a pas de nom, n'appartient à aucune culture ou religion particulière, et est extrêmement versatile dans sa façon de se manifester.

Parfois, des gens étudient toute leur vie, subissent des formations rigoureuses, et passent par de nombreuses épreuves, sans jamais en faire l'expérience. D'autres, qui n'avaient pas le désir de le chercher, sont frappés comme par un éclair.

Les religions sont, entre autres choses, une tentative de fournir un moyen pour parvenir à cette expérience. Cependant, parce que ceux qui ont eu l'expérience ne peuvent rien dire de sensé à son sujet, et que ceux qui ne l'ont pas eue sont complètement à côté de la plaque, la quête en vient à ressembler à un jeu de colin-maillard. Le jeu fait tout à fait partie de l'expérience.

D'où le Zen est-il venu?

Il est dit que le Zen a été fondé quand les disciples du Bouddha lui ont demandé de faire un sermon. Au lieu des habituelles explications verbales, il s'est contenté de brandir une fleur. L'un de ses disciples, Maha Kashyapa, sourit, car il avait compris.

En Inde, Zen se dit *dhyâna*, méditation. Maître Bodhidharma (Daruma en japonais) l'apporta en Chine, où il fut appelé *Ch'an*. Plus tard, il fut communiqué au Japon, et fut appelé Zen.

Dans les années 50, un lettré japonais, le Professeur D. T. Suzuki, introduisit le Zen aux EUA, où il connut un certain succès auprès de gens désireux de découvrir une voie spirituelle nouvelle.

D'autres maîtres Zen, de Corée, du Vietnam, etc., vinrent aux EUA. Parmi eux, un moine du nom de Shunryu Suzuki (sans lien de parenté avec le précédent). Il contribua considérablement à la propagation du Zen, en enseignant que ce n'est pas un élément du mysticisme oriental, fascinant, mais essentiellement hors d'atteinte, mais un mode de vie que n'importe qui peut suivre, qui ait le désir et la détermination de le faire.

19

Est-ce que tout est Zen?

Quand les maîtres Zen parlent, on a l'impression que tout est Zen. Mon travail quotidien est-il Zen ? Oui. Est-ce que faire une promenade est Zen ? Bien sûr. Réparer une chambre à air, c'est Zen ? Tout à fait.

Mais cela n'aide pas du tout, n'est-ce pas ?

Y a-t-il des choses qui ne sont pas Zen ? Il y a certaines choses qui sont trop apprêtées. C'est la mode de qualifier n'importe quelle remarque de 'très zen'. Désolé, mais ce n'est pas Zen. On pense qu'une sorte de minimalisme japonais dans les motifs artistiques est Zen. Cela mène à des livres sur les intérieurs Zen, qui montrent une pièce vide avec deux branchettes mortes dans un vase. Désolé, ce n'est pas Zen. On prétend même que tout ce qui est japonais doit être vaguement Zen. J'ai même vu une publicité pour des crackers au riz japonais, vendus dans une "jolie petite boîte Zen". Seigneur ! Quand vous aurez cessé de faire des efforts, le Zen viendra de lui-même. Mais apprendre à ne pas faire d'efforts, ce n'est pas chose facile.

Il n'y a pas de place, dans le
    bouddhisme, pour l'effort.
Soyez juste ordinaire, rien de spécial.
Soulagez-vous les boyaux, mettez de
l'eau, passez vos vêtements, et mangez
votre nourriture.
Quand vous êtes fatigué, allez vous allonger.
Les ignorants se moqueront de moi,
    mais le sage
        comprendra...

Maître Lin-chi

Le Zen enseigne-t-il la croyance en Dieu?

Deux dames baptistes âgées frappèrent à ma porte pour me demander si je croyais en Dieu. Je leur dis que j'y croyais, et elles partirent satisfaites. C'est seulement après leur départ que je réalisai que j'aurais pu, sans me contredire, leur répondre "non", ou "je ne sais pas", ou même "je m'en moque". Le Zen est une voie de libération. Il rejette tous les concepts, même celui de "Dieu". Quand vous nommez quelque chose, vous le limitez. En fait, si voulez le Zen, soyez rapide, et jetez-le !

Des adhérents d'autres religions peuvent-ils pratiquer le Zen? [1]

Le Zen se considère comme l'une des nombreuses voies de libération. Aussi ne rejette-t-il pas les croyances des autres gens. Le Zen même, qu'il convient de le distinguer du bouddhisme Zen, est un voyage d'exploration, plutôt qu'un endoctrinement, et quiconque le veut est invité à faire le voyage. Il n'y a pas de raison que des chrétiens, et même des musulmans et des juifs, n'y participent pas. Cependant, les religions dogmatiques imposent des croyances à suivre et des croyances à éviter, et la nature libre et fluide du Zen peut être contrariée par ces contraintes.

Ces dernières années, un certain nombre d'Occidentaux, venus de milieux juifs, se sont mis en tête de 'pratiquer' le bouddhisme en général et le Zen en particulier. Même si leur 'compréhension' est très limitée, cet intérêt ne peut pas leur faire de mal. Un ami juif a dit un jour que le Zen a maintenant plus de Cohen que de koans !

Des adhérents d'autres religions peuvent-ils pratiquer le Zen?[2]

Gasan était un maître Zen. Un jour, l'un de ses disicples lui demanda s'il avait déjà lu la bible. "Non, dit Gasan, lisez-la moi". Le disciple choisit un passage de saint Matthieu : "Et pourquoi vous occuper du vêtement ? Voyez les lis des champs, comment ils poussent. Ils ne tissent ni ne filent, et cependant je vous dis que même Salomon dans toute sa gloire n'eut jamais atours semblables aux leurs...

Aussi, ne vous occupez pas du lendemain, car le lendemain s'occupera de lui-même."

"Quel que fût celui qui a dit cela, il était un homme illuminé", commenta Gasan.

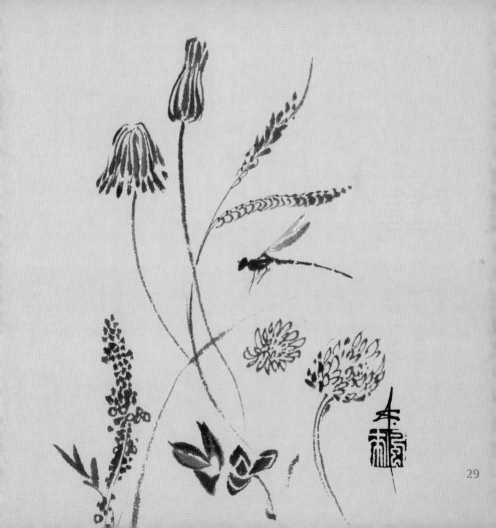

Faut-il être bouddhiste pour pratiquer le Zen?

Le Zen est un voyage de découverte sans carte ni destination. Vous pouvez faire le voyage si vous le voulez, tant que vous n'avez pas d'idée préconçue sur votre destination. Le Zen fait partie du bouddhisme, mais c'en est une branche très particulière. Pour les Occidentaux, le bouddhisme est une religion bizarre. Il comporte des 'croyances', il dicte comme il se doit des choses à faire ou à éviter, mais ses disciples ont aussi le 'devoir' de ne pas croire les maîtres (même le Bouddha) et de faire l'expérience personnelle de toutes choses. Bouddha disait : "Cessez de faire le mal, faites le bien", et "œuvrez à votre délivrance avec zèle".
Le Zen ne dit rien.

Qu'est-ce que Zazen?

Imaginez :

Avez-vous jamais appris une langue ? *Zazen* est cela, mais en sens inverse. Quand vous apprenez une langue, vous ajoutez de la connaissance petit à petit. Chaque jour, vous acquérez quelques mots, une nouvelle phrase, peut-être un verbe irrégulier ou deux. En *zazen*, chaque jour, vous désapprenez un peu. Vous désapprenez de plus en plus jusqu'à ce que vous atteigniez le Je ne Sais Pas. Ce n'est pas de l'ignorance. C'est une connaissance réelle.

Imaginez :

Vous regardez par la fenêtre et dehors il y a du brouillard. Vous sortez et vous marchez dans le brouillard. Plus vous marchez, plus le brouillard mouille vos habits. Il finit par passer à travers, et mouiller votre peau. Le brouillard du *zazen* ne s'arrête pas là ; il pénètre votre peau, et vous mouille le cœur.

Comment
pratiquer
zazen [1]?

Fondements

Asseyez-vous confortablement sur une chaise droite.

Vous pouvez utiliser un coussin pour être plus à l'aise, mais ne vous appuyez pas sur le dossier de la chaise. (Si c'est pénible de vous asseoir jambes croisées, vous pouvez vous en abstenir.)

❶ Joignez vos mains sur vos cuisses.

Gardez les yeux ouverts (ou mi-clos). Le monde imaginaire extérieur n'est pas plus réel que le monde imaginaire intérieur. Vous pouvez diriger votre regard sur le sol devant vous.

❷ Fermez légèrement la bouche et respirez normalement par le nez.

Comptez vos respirations par séries de cinq. Chaque inspiration-expiration fait une respiration complète. Quand vous êtes arrivé à cinq, revenez à un. Faites cela quelque vingt minutes par jour.

Comment pratiquer zazen [2] ?

Trouver le **hara**

Le *hara* est chose inconnue en Occident, mais, dans le Zen, il a une importance considérable. Les Chinois l'appellent le *tan tien* (le champ du ciel). C'est la région du corps qui se trouve juste sous le nombril. Quand vous pratiquez *zazen*, vous devez essayer de faire descendre le souffle doucement dans le *hara*. Ce peut être physiquement impossible, mais faites-le quand même. Ne vous occupez pas des poumons et du diaphragme – ce n'est pas un cours de biologie. Vous vous apercevrez que, avec juste un peu de pratique, vous commencez à sentir de la force dans le hara. Non, ce n'est pas votre imagination. Vous découvrirez que le hara est une source d'énergie. L'énergie que vous générerez de cette façon sera d'une grande importance dans votre pratique. Vous finirez par commencer à sentir que l'énergie du *hara* circule dans d'autres parties du corps.

Comment pratiquer zazen[3] ?

Ennui, démangeaisons, regarder le tapis ?

Ainsi, vous pensiez que nous pouviez pas le faire immédiatement ?
Pourquoi ? Pouviez-vous nager ou tenir sur un vélo la première fois
que vous avez essayé ? Les premières expériences de **zazen** sont
souvent peu confortables. On peut se gratter, s'ennuyer, même s'endormir. Quand on regarde le tapis, on voit des images étranges, parfois troublantes, qui commencent à se former.

Dans la société occidentale, s'asseoir sans rien faire est considéré
comme de la paresse, de l'irresponsabilité. Oubliez cela ! Ce que
vous faites sera bénéfique non seulement à vous, mais aussi aux
autres. D'abord, quand vous vous asseyez, faites-le comme si vous
ne deviez plus jamais vous relever. Ne pensez pas au temps que
vous "gaspillez". Vous verrez ce temps s'étirer comme un chewing-
gum mâché. Cinq minutes auront l'air d'une éternité agréable. Si
quelqu'un vous dit : "Ma méditation est si profonde qu'une heure
ressemble à cinq minutes", c'est que, peut-être, **il s'est endormi.**

39

À quoi ressemble
zazen?

Vous savez que, si vous buvez de l'alcool, l'effet se répand lentement en vous C'est tout à fait comme *zazen*. Vous ne verrez pas le monde changer de façon spectaculaire – en fait, rien ne semblera changé. Pour ce qui est de l'alcool, vous savez que si vous buvez un petit peu trop, à un certain moment, vous réaliserez : "Je suis vraiment ivre !" Et cela, aussi, est tout à fait comme zazen. Vous aurez des moments Zen, des intuitions (qui peuvent durer des secondes, des minutes ou des heures) qui vous diront que quelque chose de différent vous arrive.

Si vous buvez trop, tout ce que vous obtenez, c'est une migraine. Les moments de clarté et de perspicacité que vous avez pensé avoir eus, les remarques spirituelles que vous vous rappelez vaguement, tout cela apparaît comme une illusion. Mais avec *zazen*, c'est différent. Les intuitions que vous avez eues restent avec vous. Progressivement, elles deviennent plus longues et plus profondes. Votre caractère s'améliore, et on commence à remarquer que vous êtes différent. On ne saura probablement pas en quoi consiste cette différence, et parfois on ne la remarquera qu'à un niveau subliminal. Mais vous aurez changé, en mieux.

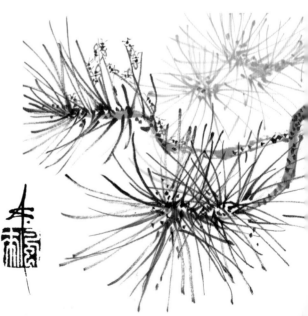

Quelles sont les mauvaises herbes de l'esprit?

Quand vous essaierez de vous asseoir en zazen, vous vous apercevrez d'abord que vous êtes très distrait. Tout vous gênera. Les sons venant de l'extérieur briseront votre concentration, les soucis vous hanteront, ou vous vous mettrez à rêvasser. Parfois, vous serez très mal à l'aise. Parfois aussi, et c'est plus alarmant, vous aurez des illusions optiques. Les motifs du tapis peuvent devenir des images mystérieuses, ou bien vous éprouverez des effets lumineux (vous pouvez même aller jusqu'à avoir l'impression de flotter sur un nuage de lumière).

Détendez-vous ! Rien de fâcheux n'arrive. Toutes ces choses ne sont qu'herbes folles du mental. Ne commettez pas l'erreur de les considérer comme une terrible nuisance qui interfère avec votre pratique. En fait, elles vous aident à sentir votre mental, la façon dont il opère. L'astuce, c'est de ne pas les laisser vous déranger, mais de les prendre simplement comme elles viennent. Une fois que vous aurez appris à laisser le mental suivre sa propre route, vous découvrirez que toutes choses s'apaisent, comme la boue qui se dépose au fond de l'étang, laissant une eau calme et claire.

Qu'est-ce que la dualité?

Bien et mal, lumière et obscurité, chaleur et froid – ce sont des dualités. La philosophie traditionnelle chinoise les rangeait sous les rubriques du yin et du yang, chacun contenant le germe de l'autre. Le Zen, comme l'advaita et la Voie du Milieu, les rejette, parce que ce sont des distinctions artificielles du mental. Bien sûr, dans la vie quotidienne, dans la 'vérité conventionnelle', ces concepts existent, mais pour le disciple du Zen, il s'agit d'être à même de les transcender.

Encore une fois, Mahâmatî, qu'entend-on par non-dualité ? Cela signifie que lumière et ombre, long et court, noir et blanc, sont des termes relatifs, et en dépendance mutuelle ; comme le sont le Nirvâna et le Samsâra, toutes choses sont non-duelles. Il n'y a pas de Nirvâna s'il n'y a pas de Sâmsara ; il n'y a pas de Samsâra s'il n'y a pas de Nirvâna ; car la condition d'existence n'est pas d'un caractère mutuellement exclusif. Aussi est-il dit que toutes choses sont non-duelles comme le sont le Nirvâna et le Samsâra.

Lankâvâtara sûtra

Le monde entier reconnaît le

beau comme le beau

mais ce n'est que le laid :

le monde entier reconnaît le

bon comme le bon,

mais ce n'est que le mauvais.

Tao Te Ching

Prendrez-vous un verre?

Il était une fois deux maîtres Zen au tempérament très différent. Le premier, Unshan, observait strictement les préceptes bouddhistes, mais l'autre, Tanzan, était plus laxiste. Un jour, Unshan fit une réprimande à son ami parce qu'il l'avait vu boire du vin, ce qui est strictement interdit.

"Bonjour !, dit Tanzan, puis-je vous offrir un verre ?

– Je ne bois jamais, répondit Unshan d'un air pincé.

– Si vous ne buvez jamais, vous ne pouvez être un humain, dit Tanzan.

– Si vous pensez que je ne suis pas humain, demanda Unshan avec colère, que suis-je donc ?

– Un Bouddha, bien sûr !"

Le Zen n'est pas une affaire de règles ; ce qui importe, c'est la compréhension. Unshan observe peut-être les préceptes avec rigueur, mais il manque de chaleur, et 'd'humanité'. Comment comprendre le Zen, si l'on est si pointilleux ? Tanzan n'a peut-être pas une conduite irréprochable, mais il a assez de sagesse pour savoir ce qui est important et ce qui ne l'est pas. Il qualifie Unshan de Bouddha, mais c'est *cum grano salis*. Il insinue ainsi que son ami est comme une image de pierre. Il a l'apparence de la sainteté ; il n'en a pas la substance.

Que portez-vous?

Deux moines voyageaient à pied en hiver ; ils arrivèrent à un gué que la crue de la rivière rendait difficilement franchissable. Une jolie fille se tenait près de l'eau, parce qu'elle ne pouvait traverser. L'un des moines la prit dans ses bras et traversa le courant, la déposa sur l'autre rive, et continua son chemin. Toute la journée, son compagnon fulmina intérieurement. Quand ils s'arrêtèrent pour prendre leur repas du soir, il éclata : "Pourquoi avez-vous pris cette fille ? Vous savez que les moines n'ont pas le droit de toucher des femmes. Et elle était jolie, en plus !" Son compagnon lui répondit : "Vous la portez donc encore ?"

> Ce que vous portez dans votre mental peut être beaucoup plus lourd que ce vous portez dans vos bras. Si vous agissez avec gentillesse et sincérité, vos actions seront justes, même si d'autres pensent qu'elles ne le sont pas. Par-dessus tout, agissez toujours spontanément selon la pureté de votre Soi originel.

Qu'est-ce que mu?

Un disciple demanda à maître Joshu : "Un chien a-t-il la nature de Bouddha ?" Joshu répondit : "Mu !", ce qui signifie "non" (Wu en chinois). C'était une réponse surprenante, parce que, selon l'enseignement bouddhiste, tous les êtres sensibles ont la nature de Bouddha. Ainsi, *mu* devint l'un des koans les plus fameux, et il est souvent donné aux disciples comme os à ronger.

> Si vous voulez travailler sur **mu**, vous devez mettre de côté toute considération intellectuelle. Ne vous occupez pas du chien. Il n'est pas question ici de zoologie. Ne vous occupez pas de la nature de Bouddha. Il ne s'agit pas ici de philosophie. Ne pensez qu'à **mu**. Qu'est-ce que Joshu a bien voulu dire ? Laissez seulement **mu** remplir votre mental. Vous devez 'faire' **mu** tandis que vous travaillez, même pendant votre sommeil. Par-dessus tout, vous devez respirer **mu**. Vous n'avez pas besoin d'un maître pour vous dire quand vous avez la bonne réponse. Joshu viendra vous le dire lui-même.

Le Zen va-t-il me rendre fou?

Il y a quelques années, un livre a été publié, qui prétendait démonter les sectes et les cultes. Il était écrit selon une perspective chrétienne fondamentaliste, et n'avait guère de sympathie pour les croyances exotiques. Mais le Zen a donné aux auteurs du fil à retordre. Ils n'ont pu trouver le moindre guru mettant la main sur l'argent de ses disciples. Ils n'ont pu trouver de gens endoctrinés et retenus contre leur volonté. En fait, ils ne parvenaient pas à comprendre quel était le propos du Zen. Mais ils trouvèrent une solution. Ils écrivirent :

"Le Zen est une folie subtile. Mais c'est de la folie."

Est-ce vrai ? Certainement, le Zen n'est pas accablé par un souci de sens commun. Beaucoup de choses que disent les maîtres Zen sont contradictoires, ou même tout à fait impossibles à comprendre si l'on utilise les méthodes habituelles. Les Zénistes considèrent les choses, également, d'une façon très différente de celle de la plupart des autres gens. Aussi, si vous considérez que ça les rend fous, c'est que le Zen n'est peut-être pas fait pour vous. Mais, tout de même, c'est une folie subtile !

56

Nous n'arriverons pas à survivre, si nous ne devenons pas un petit peu fous.

Seal

Est-il important d'être Japonais?

Le Zen est venu d'Inde en Chine, et s'est répandu dans d'autres pays d'Asie, avant de faire son entrée en Amérique du Nord et en Europe. Il "n'appartient" en fait à aucun lieu précis.

Les gens qui aiment revêtir des robes japonaises, se donner des titre japonais, brûler de l'encens, et s'asseoir en position du lotus, ont tout à fait le droit de le faire. Mais ce n'est pas Zen. Après tout, les échecs ont aussi un prestigieux pédigree oriental – mais est-ce que vous mettriez des vêtements spéciaux pour y jouer ? Changer votre nom ? Apprendre le sanskrit ? Brûler de l'encens ? Jouer du tambour ? Les échecs font tellement partie de notre mode de pensée, qu'ils n'ont plus rien d'exotique, et la plupart des joueurs n'ont qu'une vague idée de leur origine. Si ça pouvait être le cas du Zen, un grand pas en avant serait fait.

Le Zen est une exploration de la réalité. Son propos est votre vie dans l'endroit où vous vivez, ici et maintenant. C'est cette immédiateté qui lui donne sa force. Rien n'est plus propice à donner le sentiment immédiat de l'ici et maintenant que le coup inattendu asséné par le maître Zen. Mais notre stupide 'vie quotidienne', conventionnelle, n'est pas l'ici et le maintenant, l'immédiateté. L'éclair Zen détruit la vérité conventionnelle, comme il détruit la dualité, dont notre 'vie quotidienne' est tissée.

Pourquoi le Bouddha n'a-t-il pas de casquette de baseball ?

Le bouddhisme devint une religion missionnaire, bien que dans les premiers temps il fût réservé à une élite d'ascètes et de gnostiques. Dans les pays où il parvenait à s'établir, le Bouddha était représenté comme ressemblant à un membre de la population locale. Ainsi, on peut voir des bouddhas indiens ascétiques, des bouddhas chinois gras, des bouddhas thaïs minces, et d'autres bouddhas japonais. Cela est dû en partie à ce que, n'ayant pas de médias pour les informer, les sculpteurs, ne sachant guère à quoi les étrangers pouvaient bien ressembler, représentèrent le Bouddha comme un des leurs. Ainsi, les gens pouvaient croire que le bouddhisme était une religion indigène.

Mais maintenant, tout a changé. Le bouddhisme est entré récemment en Occident, et les bouddhas sont tout à fait orientaux, et la religion bouddhiste est considérée comme une importation exotique. Or, il n'en est rien. Le bouddhisme est une tradition aryenne, que la race européenne peut intuitivement comprendre. Il serait bien sûr stupide de représenter le Bouddha avec une casquette de baseball et des jeans.

Zen Rinzaï ou Sôtô?

Il y a deux écoles de Zen principales, Rinzaï (Lin Tsi) et Sôtô (Dôgen). Elles ne diffèrent que pour ce qui est de la méthode.

Un maître Rinzaï s'appuiera sur les koans. Il plongera le disciple dans la confusion, le fera trébucher à chaque occasion. Le disciple peut être épuisé mentalement et physiquement, et quand son état de désespoir sera à son zénith, le maître tirera le tapis de dessous ses pieds une dernière fois, pour produire l'état d'illumination appelé *satori*. L'apprentissage est potentiellement très dangereux, et il ne peut être mené à bien que par un maître compétent.

L'apprentissage Sôtô est une affaire beaucoup plus douce : il vise à faire atteindre la maturité au disciple après des années de *zazen* patient. Une grande partie du Zen occidental est issue des enseignements de Shunryu Suzuki, qui était un maître Sôtô. On a dit que tandis que les disciples Soto attendent que le fruit mûr tombe de l'arbre, les disciples Rinzaï s'impatientent, et donnent à l'arbre une bonne secousse.

Ai-je besoin d'un Maître?

L'Orient aime beaucoup les maîtres. Que ce soit pour faire du thé ou trouver l'illumination, vous avez besoin d'un maître pour vous montrer la Voie. Le Bouddha s'appuya sur lui-même pour trouver l'illumination. Il essaya de travailler avec les autres, mais il parvint à la conclusion qu'il devrait parcourir sa propre voie. Peut-être avait-il raison.

On aime toujours entrer dans un club. L'attrait est grand, de se joindre à ceux qui partagent les mêmes desseins, les mêmes opinions. L'ennui, c'est que rares sont les maîtres Zen en Occident. Il y a beaucoup de gens qui sont très désireux de trancher du maître, mais leur enthousiasme semble souvent fondé sur un désir d'être entourés de disciples dévots. Les vrais maîtres sont rares.

Le Zen semble d'abord difficile, et il est facile de croire que, si l'on n'a pas de maître, on ne comprendra jamais. Il y a un proverbe Zen : "Une fois que vous aurez mis le pied sur la voie, dix mille bouddhas, bodhisattvas et patriarches, viendront vous aider." Commencez votre voyage, et vous verrez. C'est vrai !

C'est un non-sens de soutenir que nous ne pouvons obtenir l'illumination sans maîtres instruits et pieux. Parce que la sagesse est innée, nous pouvons tous nous illuminer nous-mêmes.

Hui Neng

Combien de temps me faut-il pour être illuminé?

Une histoire indienne parle d'un remède merveilleux qui pouvait guérir toutes les maladies. Cependant, il n'était efficace que si l'on s'abstenait de penser à un singe quand on le prenait.

Si vous pensez à l'illumination, vous ne pouvez l'obtenir. Ce n'est pas un prix que vous pouvez gagner. Tant que vous la considérez comme quelque chose de séparé de vous, auquel vous pouvez aspirer, vous êtes complètement à côté de la plaque. Votre propre nature véritable est déjà illuminée. Quand vous saurez cela et que vous cesserez de faire des efforts pour obtenir un "quelque chose d'autre" magique, vous serez alors illuminé, mais tant que vous vous préoccuperez de l'obtenir, elle se dérobera à vous.

Vous rencontrez Bouddha qui marche au bord de la route. Que faites-vous ?

Tuez-le !

C'est une question Zen traditionnelle. Elle signifie que quoi que ce soit d'extérieur à vous que vous appelez Bouddha n'est pas le Bouddha **véritable**. Quand vous comprendrez que Bouddha est la pureté de votre propre nature, vous ne serez plus embobiné par quelqu'un qui porte une robe de moine.

Qu'est-ce que c'est ?

Je vous donne un fruit petit, rond,
rouge. Qu'est-ce que c'est ?
Si vous dites : "C'est une tomate",
vous êtes attaché au nom
et à la forme.
Si vous dites : "Ce n'est pas une
tomate", vous êtes stupide.

Alors, qu'est-ce que c'est ?

Mordre dedans serait une
bonne réponse.
Me la montrer à nouveau,
et demander :
"Qu'est-ce que c'est ?",
serait encore mieux.

Qu'est-ce qu'une "compassion de grand-mère" ?

Les maîtres Zen veillent à donner à leurs disciples, des réponses confondantes, irrationnelles, à leurs questions. Ils ne le font pas pour être bizarres, mais parce qu'il n'y a pas de moyen "d'expliquer" le Zen, pas plus qu'on ne peut expliquer une blague. Soit on saisit, soit on ne saisit pas. Il est tout de même nécessaire de donner parfois aux disciples quelque chose à quoi s'accrocher – autrement, ils risquent de se décourager, et d'abandonner. Ces explications sont appelées "compassion de grand-mère", parce que, bien que leur intention soit gentille, comme une grand-mère gâtant un enfant, elles peuvent faire plus de mal que de bien.

Vous ne savez pas?
Bien !

Nous avons peur du "ne-pas-savoir". Il a un goût d'ignorance, ou, pire, d'indifférence. Dans les sondages d'opinion, nous répondons par "oui" ou par "non" d'abord, et les "je ne sais pas" viennent comme des réflexions après coup.

Que savons-nous **vraiment** ? En réalité, bien peu. La plus grande partie de ce que nous savons vient d'autres gens, et souvent, c'est quelqu'un d'autre qui le leur a appris. Nous pensons que nous connaissons beaucoup de choses. Mais toutes les grandes questions restent sans réponse. Il y a vraiment un énorme Ne Pas Savoir qui est juste là mais que nous choisissons d'ignorer.

Socrate avait raison de dire : "Je sais que je ne sais pas". Mais un maître Zen aurait demandé : "Qui est-ce qui ne sait pas ?" Dans le Zen, "l'Esprit de Non Connaissance" est considéré comme très puissant. Quand vous vous battez avec votre koan, si vous pouvez juste vous en tenir au Ne Pas Savoir, vous trouverez la réponse. Essayez ! Une fois que vous avez découvert le pouvoir de l'Esprit de Non-Connaissance, vous êtes sur la voie.

Qui l'a bien fait?

Un maître Zen faisait une conférence par une chaude soirée d'été. La pièce était étouffante ; aussi demanda-t-il à deux jeunes moines de relever le long store de bambou, pour laisser passer de l'air. Chaque moine s'empara d'un bout du store, et ils le roulèrent ensemble, prenant bien garde d'observer le même rythme, pour que le store ne soit pas tordu. Quand ils eurent fini, le maître se tourna vers les autres disciples, et demanda : "Qui l'a bien fait ?"

> Ils avaient accompli la même tâche, mais l'un avait bien agi, tandis que l'autre avait mal agi. Comment cela se fait-il ? Avez-vous vu des artistes de rue qui font des reproductions "parfaites" de vieux maîtres ? Ils semblent habiles, et beaucoup de gens ne voient pas la différence entre l'original et la copie. Mais si habile qu'une copie puisse être, il y manque le génie de l'original. Un maître Zen peut voir la différence entre quelqu'un qui comprend et quelqu'un qui se contente de suivre le mouvement.

Vraiment ?

Une jeune fille tomba enceinte mais elle ne voulait pas divulguer le nom du père. Finalement, au bout de longues interrogations, elle nomma le maître Zen Hakuin. Les parents de la jeune fille vinrent l'accuser, et lui demander de prendre soin de l'enfant. "Vraiment ?", demanda Hakuin ; et il prit l'enfant. Il y eut bien sûr un énorme scandale, et Hakuin perdit complètement sa réputation, mais il ne s'en soucia pas. Pendant un an, il s'occupa de l'enfant ; il le nourrit, le changea, joua avec lui, et le traita en tous points comme s'il était son propre enfant. La fille finit par ne plus supporter sa propre faute, et par avouer que le père était quelqu'un d'autre. Les parents, qui auraient voulu rentrer sous terre, tant leur embarras était grand, allèrent trouver Hakuin, expliquèrent ce qu'il en était, et demandèrent qu'il leur rende l'enfant. "Vraiment ?", demanda Hakuin ; et il leur rendit l'enfant.

Le Zen préconise le non-attachement, qui est très différent du détachement. S'attacher aux choses, aux gens, à la réputation, aux possessions, et aux opinions, est la voie de la souffrance. Vous ne pouvez saisir ces choses et, tôt ou tard, elles vous seront arrachées. On demande : "Pourquoi Hakuin n'a-t-il pas défendu son innocence ?" ; ou "n'aimait-il pas le bébé après s'en être occupé pendant tout ce temps ?" Il a fait ce qu'il devait faire. La compassion exigeait que quelqu'un s'occupât du bébé ; aussi le fit-il sans hésitation. Mais il ne s'est pas laissé emmêler dans "l'amour", qui est trop souvent une sorte de possessivité. Aussi, quand le moment vint de rendre l'enfant, il put le faire, sans la moindre hésitation.

Quelle chance, n'est-ce pas?

Un pauvre fermier revenait des champs, où il avait trouvé un cheval sauvage. Il était parvenu à lui passer une corde autour du cou, et à le conduire chez lui.

"Quelle chance, n'est-ce pas ?, dirent les voisins.

– Peut-être", répondit le fermier.

Son fils essaya de monter le cheval, mais il tomba et se brisa la jambe.

"Quel malchance !, s'écrièrent les voisins.

– Peut-être", répondit le fermier.

Les soldats vinrent au village, et emmenèrent tous les jeunes gens pour qu'ils servent dans l'armée. Bien sûr, ils ne prirent pas le fils du fermier, parce qu'il avait une jambe cassée.

"Quelle chance, n'est-ce pas ?, dirent à nouveau les voisins.

– Peut-être", dit le fermier.

Les circonstances de notre vie sont ce qu'elles sont. Les souhaiter autrement, c'est tomber dans le piège de la dualité. Si vous estimez que vous avez de la chance, vous préparez le terrain pour votre malchance. Si vous pensez que vous êtes heureux maintenant, vous serez malheureux à un autre moment. Pourquoi ne pas prendre les choses comme elles viennent ? **Mangez votre repas, puis nettoyez votre assiette.** C'est Zen.

Où est la lune?

Si vous demandez : "Où est la lune ?", et que quelqu'un vous la montre, que regardez-vous, le doigt qui désigne, ou la lune ? Le propos du Zen est l'expérience réelle. Rien de ce que vous dites ou écrivez au sujet du Zen ne peut être totalement vrai parce que les mots ne sont que des symboles et le Zen vise aux choses mêmes. Il y avait un slogan féministe : "Une femme a besoin d'un homme comme un poisson a besoin d'une bicyclette." De même, le Zen n'a besoin de rien de superflu. Il vise directement la réalité. Mais les gens ne peuvent s'empêcher de prêter attention aux symboles, et d'ignorer la réalité qui est symbolisée. C'est pourquoi les maîtres Zen avaient tendance à frapper leurs disciples ou à leur crier après.

Est-ce que les gens ordinaires font l'expérience du Zen?

Un jeune garçon était tourmenté par l'angoisse de l'adolescence. Il s'en faisait pour l'école, il s'en faisait pour ses parents, il s'en faisait à l'idée d'aller à l'université, il s'en faisait pour l'état du monde, et il s'en faisait parce qu'il n'avait pas de copine, et que tous ses amis en avaient une. Un jour, il se faisait tellement de mouron qu'il alla au-delà des possibilités de se faire du souci. Un calme très beau descendit sur lui. Il examina le salon familier de la maison de ses parents et son regard s'arrêta sur une corbeille à papiers faite de feuilles de palmier tressées. À son grand étonnement, cet humble objet, qui n'aurait ordinairement mérité de sa part que le coup d'œil le plus bref, semblait maintenant complètement transformé. Ce n'est pas que la corbeille eût changé physiquement. Elle ne rayonnait pas, ne brûlait pas, mais elle avait une lueur intérieure, qui ne ressemblait à rien de ce qu'il avait vu auparavant. Ce n'est que plusieurs années après, qu'il réalisa que ç'avait été son premier pas dans le Zen.

De quoi avez-vous besoin pour pratiquer le Zen?[1]

Une grande foi

La foi du Zen n'est pas la foi dans les principes du bouddhisme ou dans les paroles des maîtres Zen ou dans n'importe quel maître. Ce que vous devez avoir, c'est la foi en ce que, pour vous, le Zen est la voie juste. Une fois que vous aurez souscrit au Zen, vous entreprendrez un long voyage, qui durera le reste de votre vie, et peut-être beaucoup plus. Le voyage sera passionnant et amusant, mais il peut être aussi très difficile. Il mettra à l'épreuve toutes vos ressources mentales. Si vous devez faire ce voyage, vous devez croire, avec une foi complète, que vous voyagez dans la bonne direction.

Il y a une autre chose que vous devez savoir. Le Zen n'est pas comme l'étude d'un sujet scolaire, comme la physique ou la comptabilité.
Beaucoup de gens vous diront que le Zen n'est aucunement passif. Même si vous n'avez pas foi dans le Zen, il se peut qu'il ait foi en vous.

De quoi avez-vous besoin pour pratiquer le Zen? ❷

Un grand doute

Le Zen est édifié, non pas sur la croyance, mais sur le doute. Vous devez être prêt à ne rien accepter comme allant de soi, à douter de **tout**.

L'empereur fit venir Daruma (Bodhidharma) et chercha à l'impressionner avec une liste de bonnes actions qu'il avait accomplies. Dans la croyance bouddhiste traditionnelle, les bonnes actions sont source de mérite et de renaissance favorable.

"Quel est mon mérite ?, conclut le souverain.

– Rien du tout", répondit le sage de sa voix la moins amène.

L'empereur n'était guère content. "Et qui est celui qui me parle ainsi ?, demanda-t-il.

– Aucune idée", répondit Daruma ; et il partit.

Ce doute est ce qu'il y a de plus difficile à saisir. Nous sommes censés connaître des choses, ou du moins prétendre les connaître. Mais sans ce grand doute, nous ne verrons jamais le Zen. Si vous voulez comprendre les secrets des koans, vous n'avez besoin que de l'Esprit de Non-Connaissance. Vous pensez probablement que le Ne Pas Savoir est passif. Il ne l'est pas. Une fois que vous aurez compris Ne Pas Savoir, vous aurez le secret du grand pouvoir. Ce n'est pas un pouvoir comme celui qu'exerce un chef de l'État – c'est plus le pouvoir d'un grand océan. Et il commence entièrement avec Ne Pas Savoir.

De quoi avez-vous besoin pour pratiquer le Zen ? [3]

Une grande Persévérance

Il est dit que Daruma passa neuf années assis en *zazen* face à un mur. Ses jambes finirent par lui faire défaut. Au Japon, on vend de petites poupées Daruma qui commémorent l'événement. Il y en a deux sortes. L'une est un cylindre avec des côtés légèrement arrondis. Vous pouvez la mettre sur votre bureau comme presse-papier, et Daruma vous regardera de dessous ses sourcils broussailleux. L'autre a un fond rond, pesant. On peut la faire tomber autant de fois qu'on veut, elle se redresse toujours. Le proverbe dit : "Sept fois par-terre, huit fois dressé". Ce sont des rappels de la persévérance nécessaire pour le Zen. La route est très longue, et elle peut être dure, si vous ne continuez pas d'un pas égal quand la progression devient difficile.

Fait-il chaud là?

Zen

On a dit que les maîtres Zen étaient capables de prédire le moment de leur mort. La nonne Eshun, réalisant que son heure était venue, demanda à des moines de bâtir son bûcher funéraire et, quand il fut prêt, elle grimpa dessus, et leur dit de l'allumer. Tandis que les flammes montaient, l'un des moines cria :

"Oh, nonne vénérée, est-ce qu'il ne fait pas chaud là ?

– Il n'y a qu'un idiot comme toi pour poser une telle question", répondit la nonne ; puis elle mourut.

Bien sûr qu'il faisait chaud. Le Zen n'est pas un tour de magie bon marché. En revanche, une fois que vous avez compris la nature de la réalité, les choses ne sont pas du tout comme vous le pensiez. Pourquoi Eshun n'a-t-elle pas crié de douleur tandis qu'elle brûlait ? Parce qu'elle savait que le chaud n'est pas le contraire du froid.

Que faites-vous?

Un moine était assis en profond *zazen* quand le maître
vint à passer. "Que faites-
vous", demanda le maître.
"Je pratique zazen, pour
pouvoir obtenir l'illumi-
nation", répondit le
disciple. Le maître
ramassa un
morceau de

tuile et se mit à le frotter avec sa manche. La curiosité du moine fut aiguisée.

"Que faites-vous ?, demanda-t-il.

– Je suis en train de faire un miroir, répondit le maître.

– Vous ne pouvez pas faire un miroir ainsi !

– Et vous n'obtiendrez pas l'illumination assis ainsi !"

Le moine doit avoir été plongé dans une grande perplexité. Il n'est pas facile de s'asseoir en *zazen*. Cela n'a rien à voir, au contraire de ce que certains prétendent, avec s'asseoir oisivement, ou à se "regarder le nombril". Cela représente en réalité un dur travail, et du temps pour mettre au point une technique d'effort sans effort. Après tout ce tracas, on pense qu'on a droit à une tape encourageante sur la tête. Mais s'asseoir en *zazen* n'est pas tout. En fait, *zazen* n'a rien à voir avec s'asseoir. Il pénètre votre conscience, et devient votre mode de vie. Jusqu'à ce que vous compreniez cela, s'asseoir est juste s'asseoir.

Est-ce que la pratique de **zazen** conduira à l'illumination ?

Oui, mais vous ne devez pas pratiquer avec ce dessein en tête, parce qu'il manque de concentration et de sincérité. Vous ne pratiquez pas **zazen** pour devenir un bouddha ; vous pratiquez parce que c'est l'expression de votre nature véritable.

Parmi toutes les incertitudes de la pratique du Zen, il est bon de pouvoir s'accrocher à quelque chose, n'importe quelle chose. Bien sûr, s'accrocher n'est pas recommandé, mais, si vous avez vraiment besoin d'une paille pour vous y cramponner, c'est cela. Continuez de pratiquer zazen et vous y arriverez un jour. Où que ce soit.

Voyageur, il n'y a pas de chemin,
Les chemins sont faits par la
marche.

Antoño Machado

Comment trouver le chemin?

Il n 'y a pas de voie établie pour aborder le Zen. Ce livre, et d'autres, peuvent vous donner quelques idées, mais, finalement, vous devrez suivre vos instincts. Cela peut sembler décourageant, mais ne vous laissez pas perturber. Ce que vous essayez de trouver n'est pas quelque chose de mystérieux, mais votre Esprit originel. En conséquence, si vous cherchez avec sincérité et diligence, vous le trouverez. En fait, vous finirez par vous apercevoir que vous ne l'avez jamais perdu, que vous l'avez eu tout le temps.

Puis-
je
faire
demi-
tour?

Chercher le Zen, ce n'est pas comme chercher une pièce de monnaie perdue. Une fois que vous avez commencé à chercher le Zen, il commence à vous chercher. Les gens demandent parfois s'il est possible d'abandoner et de revenir à la vie qu'ils menaient avant d'aborder le Zen. La réponse est carrément "Non". Deux fois j'ai abandonné le Zen – du moins, c'est ce que j'ai pensé deux fois. Chaque fois, quelque chose a fini par me ramener à lui. Je n'étais pas "rouillé", comme lorsqu'on ne pratique pas une activité pendant un certain temps. Bien que j'en fusse inconscient, mon Zen avait continué de se développer malgré mon indifférence apparente. Je connais d'autres personnes qui ont eu la même expérience. En fait, dans certains cas, l'acte d'abandon a été la chose même qui a précipité l'expérience du satori.

Un moine, après beaucoup d'années d'efforts, se persuada qu'il n'obtiendrait jamais le satori. Il pensa qu'il ferait mieux de se rendre utile dans le monastère, à nettoyer, faire la cuisine, en se mettant au service de moines plus doués. Dès qu'il eut pris cette décision, l'illumination le frappa.

Si vous regardez longtemps dans un abîme, l'abîme regarde aussi en vous.

Friedrich Nietzsche

Le Zen
est-il explosif?

Quand je lus pour la première fois des histoires Zen, je ne compris pas comment les moines pouvaient recevoir l'illumination, comme s'ils étaient frappés par un éclair, juste parce que le maître avait fait une remarque apparemment banale. "Prenez une tasse de thé !", disait le maître, et le moine devenait illuminé instantanément. Pourquoi ?

En fait, cela ne se passe pas ainsi. Vous passez beaucoup d'années à pratiquer zazen, et votre compréhension s'approfondit progressivement. Alors quelque chose peut arriver, qui fait que le barrage se brise, et laisse ainsi la lumière se répandre.

Ce que j'entends par "philosophe" :

un terrible explosif en présence duquel
tout est en danger.

Friedrich Nietzsche

Quel sorte de bouddhiste êtes-vous?

Un marchand de plats à emporter chinois de Belfast finissait de fermer sa boutique et était sur le point de rentrer chez lui, quand des hommes masqués l'empoignèrent et le poussèrent contre un mur. "Êtes-vous catholique ou protestant ?", demandèrent-ils. "Je suis bouddhiste !", cria l'homme terrifié. "Mais êtes-vous bouddhiste catholique ou bouddhiste protestant ?", insistèrent ses agresseurs.

C'est une vieille plaisanterie d'Irlande du Nord, mais pour les bouddhistes, elle a un sens. Si nous considérons que le bouddhisme tibétain, avec ses cloches et ses encens et son amour du rituel, est l'aspect catholique du bouddhisme, nous pouvons en conclure que le Zen, avec son austérité et son manque de cérémonies, est l'équivalent d'une secte protestante. Élevé dans l'Église d'Écosse, j'ai tendance à prendre ma religion "noire sans sucre". Au fil des ans, j'ai éliminé l'encens, viré les images du Bouddha (sauf quelques-unes dans ma maison, qui ont le statut de bibelots), et je n'ai jamais vraiment eu le goût du chant ou des psalmodies. J'ai parlé à une amie américaine de ma comparaison catholique/protestant. Elle a réfléchi pendant un moment, et a dit : "Je pense que ça fait de vous un Shaker." Cependant, pour les disciples bouddhistes et Zen, c'est une affaire de goût personnel, plutôt que de dogme.

Le Zen est-il violent[1]?

Chaque fois qu'on posait une question au sujet du Zen à maître Gutei, il répondait en levant un doigt. Son jeune serviteur trouva que c'était quelque chose de vraiment bien ; aussi se mit-il à imiter le maître. Mais un jour, il fut surpris – Gutei saisit le doigt du garçon et le coupa. Alors qu'il s'enfuyait, hurlant de douleur, le maître l'appela. Le garçon se retourna et leva un doigt. Il fut illuminé.

On pense parfois que de telles histoires sont exagérées, pour produire un effet dramatique. Je ne le crois pas. Du point de vue du Zen, l'illumination en échange d'un doigt, c'est une sacrée bonne affaire ! Mais ce n'est pas une histoire de mutilation ; elle a trait à l'existence et à la non-existence.

Le Zen est-il violent[2]?

Un maître fut approché par un jeune homme, très désireux de connaître le Zen. Le maître ne lui accorda pas même un regard. Le jeune homme décida de montrer sa sincérité en s'asseyant à la porte du maître pour méditer. Il s'assit là, jour après jour, pendant des mois. Le maître continua de l'ignorer. L'hiver vint et la neige tomba, mais rien pourtant n'émut le cœur dur du maître. Le jeune homme se coupa le bras droit et l'offrit au maître. Il fut alors admis comme disciple. Cette histoire illustre la sincérité nécessaire pour apprendre le Zen. Êtes-vous réellement prêt à vous couper le bras ? Mais ce n'est pas tout. Il s'agit aussi ici du manque d'inclination de la part d'un vrai maître, à devenir instructeur.

Le Zen est-il violent?[3]

La différence entre le Zen et le bouddhisme Zen apparaît quand on considère les arts martiaux. Les guerriers samouraïs adoptèrent le Zen, parce que c'était une voie qui correspondait à leur mode de vie. Il était vigoureux, physique, direct. Il ne s'occupait guère de concepts philosophiques abstrus, et il accordait un grand prix à la spontanéité. Les samouraïs étaient par-dessus tout des guerriers, et même si certains étaient des hommes cultivés, ils ne permettaient à rien de faire obstacle à leur préparation à tuer, ou à être tués. Ce n'était pas non plus une possibilité théorique. L'emblème du samouraï était la fleur de cerisier, choisie, parce que, au lieu de se flétrir sur la branche, elle tombe alors qu'elle est encore jeune et belle. Aucun samouraï ne s'attendait à vivre vieux. C'étaient des hommes rudes, qui n'avaient guère de place dans leur vie pour l'idéal bouddhiste de compassion.

Dans le service,

servez.

Dans le combat,

tuez.

Jinzu

Qu'est-ce que le karma[1] ?

On récolte ce qu'on sème. Le karma est un principe hindo-bouddhiste, qu'on appelle aussi loi de causalité, et qui est souvent très mal compris. On l'entend le plus souvent dans le sens où les mauvaises actions ont des conséquences mauvaises, et les bonnes actions des conséquences bonnes, qui affectent non seulement cette vie, mais aussi les vies postérieures. C'est le karma qui fait qu'une renaissance est favorable ou défavorable. Cela a conduit à l'idée plutôt stupide selon laquelle les gens pauvres, désavantagés, malades, "méritent" d'une certaine façon leur infortune, comme punition pour les péchés commis dans des vies antérieures. Cette opinion est largement partagée dans certains pays orientaux, parce qu'il est plus avantageux pour certains de crier haro sur le baudet, plutôt que d'examiner sérieusement certaines questions morales. (Cette position n'est d'ailleurs pas purement orientale ; on retrouve en Occident des positions similaires, dues peut-être à la calamiteuse notion de "péché", et qui ne doivent rien à la croyance en la renaissance.)

Qu'est-ce que le karma[2]?

Imaginez que vous laissez tomber un marteau sur vos orteils. La douleur que vous sentirez est-elle une **punition** de votre maladresse ? Non, bien sûr : c'est juste une conséquence naturelle d'un acte maladroit. La prochaine fois, vous ferez plus attention. Ainsi, le **karma** [mot sanskrit qui signifie "action" et "rite sacré"] est juste la conséquence naturelle de nos actions. Il n'est pas besoin d'être "mauvais" pour gâcher sa vie ; il suffit de vivre sans savoir ce qui vous rendra vraiment heureux. Dans le bouddhisme, on dit qu'un homme mauvais souffre comme un homme mauvais, et qu'un homme bon souffre comme un homme bon. Tous deux font leur propre type de **karma**. L'illuminé vit en harmonie avec la loi de la causalité, et ne fait pas de vagues dans le bassin.

La réalité est-elle
réellement réelle?

Il ne s'agit pas ici de faire un débat philosophique, mais de **vous** demander de considérer si vous croyez que ce monde quotidien est tel qu'il apparaît. Pour la plupart des gens, la réponse est un "oui" inconditionnel. Quoi de plus évident ? Certes, d'une certaine façon, ils ont raison. Autant qu'on le sache, les gens semblent à peu près faire l'expérience de la même réalité. Ceux qui voient quelque chose de différent (ceux qui souffrent de maladies mentales, ou qui éprouvent les effets d'hallucinogènes) sont considérés comme des gens bizarres. La réalité dont les gens rendent compte est cohérente – on s'éveille au même monde, bon an mal an. D'autres disent : "Je pense qu'il y a beaucoup de choses que nous ignorons", ou "je crois que quelqu'un veille sur nous". Ils acceptent la réalité quotidienne mais cherchent un autre niveau d'existence, dans lequel les choses sont différentes.

Pour moi, dès mon enfance, la réalité ne m'est jamais apparue comme quelque chose de véritable. Elle m'a toujours semblé être une représentation théâtrale. Certes, la plupart du temps, la pièce était très convaincante, mais je ne pouvais jamais m'ôter de l'esprit que le décor était en carton peint, et que la robe de l'héroïne tenait avec des épingles. Quel rapport avec le Zen ? C'est tout simplement que, alors que le Zen reconnaît, dans un sens, que cette réalité est tout à fait réelle, il y voit en même temps une illusion. Si vous pouvez parfois voir des fissures dans la réalité, et si ces fissures vous tracassent, il se peut que vous soyez quelqu'un qui trouvera des réponses dans le Zen.

Faut-il être intelligent pour pratiquer le Zen?

Hui Neng, le Sixième Patriarche Ch'an, était, dit-on, illettré, pauvre et travaillait dur ; il fut illuminé quand il entendit un homme réciter une ligne d'un sûtra bouddhiste. Le Zen n'est pas un exercice intellectuel. En réalité, toutes les facultés critiques qui sont si importantes pour la réussite universitaire, ne sont que des obstacles sur la voie du Zen. Mais à cause de ses vêtements exotiques, de son apparente bizarrerie, et de sa réputation de "difficulté", le Zen suscite plus que sa part l'intérêt des intellectuels occidentaux. Si vous fréquentez des groupes Zen, vous vous retrouverez parmi plus de diplômés d'université que partout ailleurs, et vous n'aurez guère de chance de rencontrer un ouvrier, ou un conducteur de poids lourd. Déjà, dans le Japon médiéval, les artistes, poètes, samouraïs, concevaient un grand intérêt pour le Zen, mais les fermiers et les travailleurs manuels restaient à l'écart ; ainsi, sa réputation de mouvement "élitiste" n'est pas nouvelle. Mais ne vous laissez pas troubler par cela. Si vous pensez que vous êtes une personne "Zen", c'est que vous l'êtes probablement.

Je suis quelqu'un de très occupé. Pourquoi prendrais-je sur mon précieux temps pour pratiquer le Zen?

On dit que personne sur son lit de mort n'a jamais souhaité avoir passé plus de temps au bureau. Un jour, vous serez mourant ; à quoi votre vie aura-t-elle été vouée ? Certaines personnes s'identifient au travail qu'elles font ou aux biens qu'elles accumulent – mais vous devrez finir par abandonner tout cela. Même les gens qui s'identifient à leur dévouement à leur famille, ou à une vocation supérieure, comme l'art ou la littérature, doivent se séparer de ce à quoi ils se sont attachés. Le Zen est un moyen de découvrir ce que vous êtes **réellement**. Tant que vous ne connaissez pas la réponse, vous ne pouvez comprendre pourquoi vous vivez, ou ce que vous êtes censé faire ici.

Il est très facile
de laisser l'agitation et l'affaire-
ment de la vie nous distraire de nos pensées profondes. Beaucoup de gens accueillent
volontiers ces distractions, parce qu'ils considèrent n'importe quelle sorte d'introspection comme une simple
contemplation de son nombril. D'autres évitent de poser des
questions profondes, parce qu'ils craignent de ne pas aimer les
réponses. Si vous sentez vraiment qu'il y a plus dans la vie, et que vous
vouliez savoir ce que ce "plus" peut bien être, ça vaut la peine de savoir
si vous êtes au fond une personne Zen.

Qu'est-ce donc

que la vie

Si l'on n'a pas le temps

De s'arrêter longtemps

Pour scruter à l'envi ?

W. H. Davies

Pourquoi les grenouilles sont-elles de bons disciples du Zen ?

Le Zen a toujours été actif dans les arts. Si l'on examine les peintures des maîtres pour avoir un aperçu de ce que le Zen est réellement, on peut se demander pourquoi les grenouilles apparaissent si souvent. Est-ce que ça a un rapport avec l'amour de la nature et la compassion pour les créatures vivantes, ou y a-t-il quelque chose de plus profond ?

Curieusement, la grenouille est présentée comme un modèle de ce que tout votre zazen doit être. La grenouille peut rester assise dans une parfaite immobilité pendant des heures, mais dès qu'un insecte passe à sa portée, elle sort sa longue langue en un éclair, et le savoureux morceau est gobé sur-le-champ. Elle ne s'endormira pas, ni ne perdra sa concentration, quelle que soit la durée de son 'zazen'.

Quelles sont les étapes que vous traversez en **zazen?**

Imaginez que le *zazen* est un très long voyage interrompu par des arrêts irréguliers à des endroits intéressants. Vous passerez par toutes sortes d'étapes dans votre voyage. Il y a aura des moments où vous vous sentirez merveilleusement détendu, des fois où vous dormirez la nuit comme un bébé, même des fois où vous sentirez un niveau exceptionnellement élevé d'excitation sexuelle. Certaines de ces étapes marquent un progrès réel dans votre développement. Par exemple, quand vous ne verrez plus des images étranges sautant des motifs du tapis, vous saurez que votre **zazen** s'est approfondi considérablement. Mais il faut savoir qu'aucune de ces étapes n'est importante en soi. Il serait erroné de vouloir recréer un sentiment particulier, juste parrce que vous l'avez aimé. Il est tout à fait possible de le faire (je n'ai jamais essayé, aussi n'est-ce que pure conjecture), mais cela entraverait votre progression. L'étape dans laquelle il faut montrer le plus de prudence, c'est celle de la félicité. À un certain point de votre parcours, vous vous apercevrez que vos soucis s'en sont allés. Vous avez l'impression de pouvoir rester assis ainsi à jamais, flottant sur un nuage. Tout cela est très beau, et ressemble beaucoup à une expérience "sacrée", mais ce n'est pas Zen. D'abord, quand vous cesserez de faire *zazen*, le sentiment vous quittera. Ensuite, si agréable que ce soit, ça n'en est pas moins dualiste. Vous vous sentez bien, ce qui s'oppose à se sentir mal. Aussi, bien que ce soit amusant tant que ça dure, traitez cela comme une autre étape, et passez votre chemin.

Quel rapport avec la danse ?

Que faites-vous quand vous dansez ? Vous précipitez-vous pour en finir le plus vite possible ? Où bien vous détendez-vous, vous balançant au rythme de la musique, jouissant du mouvement et essayant de savourer le moment aussi longtemps que vous le pouvez ?

Zazen

est ainsi. Si vous êtes dévoré par l'ambition et que vous essayiez d'en faire trop, vous perdrez votre enthousiasme pour la pratique et vous finirez par vous asseoir de la façon la plus inconfortable, souhaitant ardemment que la séance prenne fin. Au lieu de cela, vous pouvez choisir un moment qui est dans vos possibilités, et préparer un signal qui vous avertira doucement quand le temps sera fini (il n'est pas recommandé d'utiliser un réveil! à forte sonnerie). Une fois que vous êtes en zazen, essayez de saisir une qualité intemporelle, dans ce que vous 'faites' présentement. 'Saisissez votre instant'. Zazen peut être un peu comme le golf ; certains jours, vous penserez que vous avez attrapé le coup, d'autres jours, vous aurez du mal. Pour revenir à la danse, si vous avez jamais essayé la sorte de danse qui a des pas "corrects", à apprendre (au contraire de la danse "libre" disco), vous aurez alors le sentiment qu'il n'y a pas assez de temps.

Et s'il n'y a rien dans mon esprit?

Joshu demanda à l'un de ses disciples :

"Qu'y a-t-il dans votre esprit ?"

Le disciple répondit :

"Il n'y a rien dans mon esprit."

Joshu dit :

"Bon, jetez-le !"

Le disciple répondit :

"Et si je ne peux pas le jeter ?"

"Alors, emportez-le."

Tant que le disciple n'a rien dans son mental, il entretient encore le concept de "rien" et ce n'est pas très bon. Joshu lui demande de l'emporter, en d'autres termes, de "réaliser" le rien dans sa vie.

Peut-on pratiquer le Zen et avoir une vie de famille normale ?

La plupart des histoires Zen traditionnelles ont pour protagonistes des moines, mais il y a une lignée distinguée de laïques qui ont joué un rôle essentiel dans le développement du Zen. Les propos du laïc P'ang, par exemple, ont fait l'objet de plusieurs anthologies, et sont largement cités. Les prêtres Zen n'ont pas l'interdiction de se marier, et nombreux sont ceux qui l'ont fait. Shunryu Suzuki, un contemporain, qui fit beaucoup pour faire connaître le Zen aux États-Unis, était marié. On peut pratiquer le Zen en menant une vie de famille. Les difficultés qu'entraîne celle-ci peuvent être un excellent exercice Zen. Certaines personnes préfèrent s'isoler et passer plus de temps en contemplation. C'est excellent, mais il est aussi excellent de trouver le Zen en attendant un bus par un lundi matin froid et humide.

Le Zen est-il sans danger?

Parce que le Zen vous change de façon fondamentale et permanente, c'est une question que vous pouvez poser avant de commencer. La réponse ne va pas de soi. Extérieurement, il n'arrivera pas grand-chose, mais votre personnalité se modifiera graduellement. Les changements seront en mieux (vous deviendrez plus gentil, plus tolérant, plus patient, plus sage) – et c'est encourageant. Les gens qui commencent à examiner le Zen ne tardent pas à tomber sur des passages qui parlent de "perdre son ego", ou "mourir pour ne plus avoir à mourir", ou "la mort du soi", et ils commencent à s'inquiéter. Toutes ces déclarations ont certes une vérité en elles, mais elles sont probablement excessives. Ce n'est pas tant que vous vous perdez. C'est plutôt que vous parvenez à réaliser que ce que vous croyiez être "vous-même" n'était qu'illusoire, et que vous êtes aussi tous les autres êtres, toutes les autres choses, en même temps. C'est certainement très impressionnant, mais c'est probablement moins alarmant que certaines descriptions que vous avez lues.

Quel rapport avec Michael Caine?

(Peu nombreux sont ceux qui le savent.)

Michael Caine a donné un jour un cours magistral sur l'art d'interpréter un rôle, à la TV. Je pense que la plupart des non-acteurs ont supposé qu'il se contentait de jouer lui-même, et que, dans ses représentations, il n'y avait guère de technique scénique. Le programme fut une révélation. Le plus impressionnant, ce fut la façon dont il démontra comment, en faisant le moins de "cinéma", il réalisait en fait le plus.

L'un des jeunes acteurs assistant au cours lui demanda comment il jouerait un personnage vraiment mauvais. Caine répondit qu'un moyen consistait à donner une certaine immobilité à ses muscles faciaux, et à s'en servir. Alors il durcit légèrement son visage, qui devint immédiatement un masque du mal. Les autres acteurs furent invités à essayer. Ils produisirent tous des expressions mauvaises embarrassées, qui n'auraient pas effrayé un enfant de trois ans. Bien sûr, ce n'est pas du Zen à proprement parler – c'est néanmoins un puissant effet du Ne Pas Faire.

Le Zen peut-il nous aider à régler nos problèmes actuels ?

Tout ce discours sur l'illumination est très beau, mais il se peut que vous vouliez savoir si le Zen va faire quelque chose pour vous en ce moment. La bonne nouvelle, c'est que la pratique régulière de zazen a des effets tangibles dès le commencement ; et plus on pratique, plus les bienfaits sont importants.

Stress

Le Zazen réduit le stress. Au début, c'est juste une sensation agréable, qui vient de la relaxation des muscles, mais, à mesure que la pratique continue, on obtient une compréhension beaucoup plus profonde du mental, et on sera capable de contrôler les effets du stress. Vous apprendrez aussi à éviter le mode de vie inadéquat qui mène au stress.

Créativité

Parce que votre pratique vous met plus en contact avec vous-même, vous découvrirez que vous êtes capable de puiser plus fréquemment, et plus profondément, à votre source de créativité. Vous vous apercevrez aussi que, pendant zazen, les réponses aux problèmes qui vous ont harcelé, apparaîtront.

Santé

Votre santé s'améliorera et vous serez moins susceptible de contracter des maladies communes. Vous trouverez peut-être aussi que vous dormez mieux.

La philosophie triomphe des maux passés et futurs. Mais les maux présents triomphent de la philosophie.

La Rochefoucauld

Je suis comme un chien

assis à côté d'une marmite ou

mijote un ragoût.

C'est trop chaud pour que j'en

mange

mais l'odeur est si bonne

que je ne peux me décider à

partir.

Commentaire d'un disciple Zen

Pour obtenir l'illumination
vous devez la vouloir autant
qu'un homme dont la tête
est maintenue sous l'eau
veut de l'air.

Proverbe Zen

Avec quelle intensité voulez-vous du **Satori?**

L'ennui, avec le Zen, c'est que tout fonctionne de la façon la plus inattendue. La maxime au sujet de l'illumination est vraie d'une certaine façon, mais ce n'est pas toute la vérité. Si vous cherchez l'illumination, si vous la convoitez de la même façon que quelqu'un peut convoiter une Porsche, vous ne l'obtiendrez pas. Vous ne suivez pas le bon chemin, et, pire, vous ne comprenez pas la nature de ce que vous voulez. En revanche, comme le chien et le ragoût, une fois que vous avez du goût pour le Zen, même si vous n'êtes pas capable de l'avaler, vous ne lâcherez pas non plus. Le Zen ne demande pas un effort désespéré pour atteindre un but, mais il exige une certaine détermination. Si vous le considérez juste comme un hobby ou un amusement, vous n'irez nulle part. Si vous faites des efforts persévérants pendant des années, vous serez généreusement récompensé.

Le **Zen** est-il amusant?

Le cuisinier d'un monastère Zen se mit en retard dans la préparation du repas. Il se hâta tant pour le rattraper, que, sans y prendre garde, alors qu'il coupait les légumes en petits morceaux, il saisit un serpent, le coupa en petits morceaux, et le jeta dans la marmite. Le ragoût fut plus savoureux que l'habituel plat végétarien, et les moines en vantèrent le bon goût jusqu'au moment où l'abbé découvrit la tête du serpent dans son bol. Il fit venir le cuisinier. "Comment appelez-vous ceci ?", demanda-t-il.

"Oh, merci, Maître !", dit le cuisinier, qui prit la tête et l'avala. L'humour est très important dans le Zen. Il n'a rien à voir avec l'humour ecclésiastique, les blagues coorporatives ; on s'en sert simplement, parce que l'humour véritable, comme le Zen, ne peut être expliqué sans perdre son piquant.

Le Zen est-il relaxant?

Dans la vie de tous les jours, nous distinguons entre deux états, l'activité et la relaxation. C'est un continuum avec une activité frénétique, stressée d'une part, et d'autre part le sommeil et un épuisement total. La plupart des gens passent leurs heures de veille en activités frénétiques, et, une fois que le travail est fini, ils se relaxent, et plongent dans le sommeil. Certaines personnes sont si attachées à l'activité qu'elles ont du mal à accéder à la relaxation.

Le Zen est différent. Dans le Zen, vous trouvez un état actif, mais complètement détendu. Mais la relaxation du Zen ne s'affaisse pas dans le sommeil. Cet "autre lieu" est dur à trouver parce que vous n'avez jamais soupçonné qu'il était là. Vous finirez par être capable de vous asseoir en zazen avec l'esprit totalement détendu, mais, aussi, totalement vigilant.

Le Zen
est-il
seulement
du quiétisme ?

Le quiétisme est exactement ce dont il donne l'impression – la pratique de trouver la tranquillité au moyen d'une vie de contemplation paisible. Certaines personnes regardent des images représentant des moines en zazen, et pensent que le Zen est simplement un moyen d'abandonner le combat de la vie pour vivre dans un isolement pacifique. C'est loin d'être la réalité. Dans le Zen, vous trouvez la tranquillité dans l'action, et non en vous en détournant.

Le problème, avec le quiétisme, c'est que, dès que quelqu'un ou quelque chose brise vos barrières, votre tranquillité si prisée est perdue. Si vous considérez les guerriers samouraïs et les experts en arts martiaux, qui ont suivi aussi le Zen, vous verrez la différence. D'abord, vous vous apercevrez qu'il est difficile de pratiquer zazen si vous n'êtes pas dans le calme et la paix, mais quand votre pratique aura mûri, vous serez à même de trouver le Zen dans un centre commercial bondé, un samedi matin de la semaine de Noël !

Qu'est-ce que "kwatsu"?

Les histoires Zen contiennent souvent des passages comme : "Alors le maître émit un kwatsu et le moine fut instantanément illuminé." Ce kwatsu est, dit-on, comme le rugissement d'un lion. Il est utilisé comme tactique percutante par les maîtres Zen, et parfois par leurs disciples. Ce n'est pas juste un vieux cri ; la personne qui émet le kwatsu doit y mettre toute son énergie. On dit qu'un maître peut évaluer le progrès d'un disciple juste par la qualité de son rugissement.

Qu'est-ce que l'attention ?

Dans tous les textes bouddhiques, pas seulement Zen, l'attention est un concept clé. Il est difficile de déterminer son sens exact. Le but de l'attention, c'est de garder le mental concentré sur l'ici et maintenant. Laisser le mental s'égarer et s'adonner à la rêverie, la spéculation et les imaginations, c'est rester piégé dans l'illusion. C'est seulement en domptant le mental que vous pouvez espérer voir clairement sa nature véritable. Cependant, on ne peut y parvenir par la force. On confond trop souvent attention et concentration, et c'est une grande faute.

Prenons comme exemple un bassin. Si l'eau est agitée, elle sera souillée de boue et de débris. Vous ne pourrez améliorer la situation en vous débattant ; cela ne fera qu'empirer les choses. Si, cependant, vous laissez l'eau se calmer, la boue se déposera au fond et l'eau deviendra claire. C'est ce que vous devez apprendre à faire en zazen. Ne vous concentrez pas sur le fait d'être attentif, mais laissez doucement s'apaiser votre mental tout seul. Comme toutes choses dans le Zen, c'est ce que vous apprenez à ne pas faire qui est important.

Couper du bois, porter de l'eau

Maxime Zen

Qu'est-ce que "avant de penser"?

L'écrivain américain J. D. Salinger rapporta que la seule règle, dans un monastère Zen, était que si un moine criait "salut !", le moine le plus proche devait lui répondre "salut !", sans hésiter pour y penser. Il y a beaucoup d'histoires semblables, y compris celle du maître d'épée Zen qui s'approchait de ses disciples à n'importe quel moment de la journée, pour les attaquer sans crier gare, avec une épée d'exercice en bambou.

Qu'est-ce que tout cela a à voir avec le Zen ? Votre mental quotidien, celui qui calcule et théorise et a des opinions, n'est pas votre esprit véritable. Votre Esprit véritable, qui peut être entrevu aux moments de spontanéité, est vide de tout le non-sens que vous emportez souvent avec vous. Plus votre pratique zazen est avancée, plus vous êtes à même de comprendre la vraie nature du Mental.

Pourquoi y a-t-il tant à se rappeler?

Tenno, qui, après de nombreuses années d'apprentissage, était devenu maître Zen, rendit visite à maître Nan-in. C'était une journée humide ; aussi, Tenno portait des galoches de bois et un parapluie, qu'il laissa à l'extérieur de la salle de séjour. Nan-in le salua et lui demanda immédiatement : "Quand vous avez déposé vos affaires, avez-vous mis les galoches à droite ou à gauche du parapluie ?" Tenno n'en avait pas la moindre idée, et il réalisa qu'il n'était pas capable de porter son Zen à chaque instant. Il demanda à étudier avec Nan-in et resta six ans avec lui, jusqu'à ce qu'il trouvât le véritable Zen de chaque instant.

Pour une Voie qui est censée être indépendante des mots et des enseignements, le Zen a généré une grande quantité de littérature, qui va du très utile à la pure inutilité. Le bouddhisme en général, et le Zen en particulier, n'ont aucune Écriture faisant 'autorité', comme la Bible ou le Coran. Il y a un foisonnement d'écrits, auxquels chacun a ajouté son opinion, ou sa compréhension. Quant aux sûtras, sur lesquels les *sautrantika* se fondent, ils ne représentent qu'une infime part de l'ensemble scripturaire, et la plupart des écoles bouddhiques ne s'y réfèrent guère ; en outre, il n'y a rien de dogmatique ni d'obligatoire dans le bouddhisme : il faut suivre la voie, *sans appui aucun.* Les disciples peuvent en concevoir une certaine confusion. La 'solution', c'est la spontanéité qui résout tous les doutes – elle est prémentale, elle les tue dans l'œuf. Mais il faut y mettre du cœur. Zazen est une pratique très puissante, et, quoi que vous pensiez ou fassiez, si vous suivez la pratique régulièrement sur une longue période, cela marchera, et vous réaliserez le cœur du Zen.

Une tasse de thé ?

Videz votre tasse !

Maître Nan-in reçut la visite d'un professeur d'université et lui offrit du thé. Quand le thé eut atteint le haut de la tasse, Nan-in continua de verser, si bien que le breuvage se répandit sur la table. "Arrêtez ! Arrêtez !", cria le professeur. "C'est trop plein !" "Et vous, dit Nan-in, n'êtes-vous pas trop plein de vos propres opinions. Comment pourez-vous apprendre le Zen ainsi ? Videz votre tasse !"

Les gens chérissent leurs opinions, si bien que nombreux sont ceux qui ont souffert persécution, torture et mort pour elles. Même ceux qui sont le moins engagés, ne manquent pas de participer à une controverse au sujet de la politique, de la religion, de l'éducation, de la musique, ou d'un autre sujet cher à leur cœur. Un maître zéniste moderne a écrit que l'on doit être comme un miroir. Quand le rouge vient, vous devenez rouge, quand le jaune vient, vous êtes jaune. Quand on lit ce genre de chose, on se sent le plus souvent offensé. Sûrement, pense-t-on, sans mes opinions, je serais une personne sans intelligence ni culture ! Mais combien de fois nos opinions se révèlent-elles sans fondement aucun ? Combien de fois sont-elles changées par les vicissitudes du destin ? Cela vaut-il la peine de combattre et mourir pour elles ? Les opinions ont la vie dure. Mais quand vous allez plus profond dans **zazen**, elles commencent à mourir. D'abord, vous vous apercevrez que vous devenez moins dogmatique, puis que les opinions vous intéressent de moins en moins.

Ne cherchez pas la vérité.
Cessez seulement de chérir les
opinions.

Proverbe Zen

Que dit le Zen au sujet de la sexualité ?

Un moine Zen fut attiré par une belle nonne, au même monastère. Il lui fit parvenir un mot, lui demandant une rencontre secrète. Le maître fit un discours aux disciples, et la jeune nonne attendit la fin, et, sous le prétexte de poser une question, se tourna vers son admirateur devant toute l'assemblée, et dit : "Si tu m'aimes vraiment, viens et fais quelque chose tout de suite !"

Le bouddhisme a des règles concernant la sexualité. Je ne me sens pas concerné par elles. Le Zen n'a pas de règles, mais en tant qu'il est connecté avec le bouddhisme et une culture monastique, son attitude envers la sexualité n'a jamais été très enthousiaste. En revanche, il y a eu de nombreux laïques dans l'histoire du Zen, ainsi que de nombreux prêtres mariés. Ainsi, la sexualité n'est pas réellement bannie.

Le problème, c'est que la sexualité est l'un des types d'attachement les plus puissants. Il est facile de s'y laisser impliquer, mais il est très difficile de s'en défaire. Cela s'applique non seulement à une relation réelle, mais aussi à d'autres activités, comme regarder des spectacles pornographiques. Un simple coup d'œil aux journaux permet de voir que des gens se sont mis dans des situations embarrassantes ou criminelles en commençant simplement à regarder des éléments pornographiques, qu'ils considéraient comme inoffensifs.

Si vous voulez pratiquer le Zen, il n'est pas nécessaire de vivre comme un moine, mais vous devez examiner soigneusement ce que vous faites, pour faire en sorte de ne pas vous piéger vous-même.

Pas de sollicitude aimante?

Une vieille dame dévote donnait de l'argent pour aider un jeune moine à continuer sa quête de l'ilumination. Un jour, elle décida de tester ses progrès. Elle loua les services d'une belle et jeune courtisane, qu'elle envoya au moine, pour qu'elle l'étreigne passionnément, et lui dise qu'elle était tombée amoureuse de lui. Sans hésiter, le moine chassa la fille.

Alors la vieille dame fit irruption chez lui, folle de rage, le chassa du petit abri qu'elle avait fait construire pour lui, et brûla la maisonnette. On peut penser que c'est excessif, car le moine n'avait fait qu'observer ses vœux de célibat, mais, comme le fit remarquer la vieille dame, sans céder à la fille, il aurait dû montrer de la compassion pour sa condition.

J'aime cette histoire, parce qu'elle montre très bien la compassion du Zen. Trop de gens "religieux" pensent qu'une condamnation pharisaïque de la conduite des autres peut mettre en valeur leurs références sacrées. Le jeune moine pensa clairement qu'il pouvait prouver sa force morale en observant strictement les préceptes bouddhiques. Il ne lui est pas venu à l'esprit qu'il avait un devoir de compassion envers la fille. Il a dû être sacrément surpris, quand la vieille dame a brûlé sa hutte !

Pourquoi la lune ne peut-elle être volée ?

Un maître Zen vivait seul dans une hutte. Une nuit, alors qu'il était assis, regardant la pleine lune, un voleur fit irruption, qui demanda de l'argent. "Je n'ai ni argent ni bien à vous donner", dit le vieil homme, "mais vous pouvez avoir mes vêtements si vous le voulez." Le voleur était perplexe, mais, plutôt que de partir les mains vides, il prit les vêtements, et se glissa dans la nuit. "Pauvre gars, se dit le moine, j'aurais aimé lui donner cette belle lune".

C'est une histoire adorable. Elle montre non seulement l'indifférence du zéniste pour les biens mondains, mais aussi son désir de partager ce qu'il a. Ce qu'il voulait **vraiment** partager, bien sûr, c'était l'illumination (représentée par la contemplation de la lune), mais c'est une chose que chacun doit découvrir par soi-même.

Dangereux ?
Oui, mais délicieux.

Cette histoire est attribuée à Gautama le Bouddha.

Un homme marchait, et rencontra un tigre. Terrorisé, il s'enfuit, mais il s'aperçut qu'il courait vers un précipice. N'ayant pas le choix, il s'agrippa le long de la paroi, et eut la chance de pouvoir se tenir à une plante grimpante. Il entendit alors feuler, et, regardant en bas, il vit un autre tigre qui attendait qu'il tombe. Mais ce n'est pas tout. Deux souris, l'une blanche, l'autre noire, se mirent à ronger la plante grimpante à laquelle il se tenait. Il repéra alors un fraisier sauvage, qui poussait sur ce versant de la falaise. D'une main, il cueillit la fraise, et la mit dans sa bouche. **Elle était délicieuse.**

Beaucoup de gens étrangers au Zen sont tombés sur cette histoire. Il y a même un site web où des gens en proposent une interprétation. Il est intéressant de noter qu'il y en a de nombreuses. Comme pour toutes les histoires Zen, la seule compréhension qui importe, c'est la vôtre.

L'histoire me rappelle une peinture sur rouleau de bambou que j'ai eue, et qui représentait un magnolia (le mot chinois pour 'magnolia' sonne comme mon nom de famille) qui s'était accroché précairement au bord d'un précipice. La plupart de ses racines pendillaient hors de terre, et ne jouaient aucun rôle dans l'ancrage de la plante. La beauté délicate des fleurs était soulignée par le grand danger dans lequel elles vivaient. Je fus fortement influencé par l'esprit Zen que la peinture évoquait.

Le Zen est-il moral ?

Voici les règles qu'un maître Zen renommé se fit pour lui-même :

- Tout d'abord, le matin, avant de s'habiller, allumer de l'encens et méditer.
- Aller se coucher à une heure régulière.
- Manger régulièrement.
- Manger avec modération, mais de façon à avoir son content.
- Recevoir un hôte avec la même attitude que celle que l'on adopte quand on est seul.
- Quand on est seul, se comporter comme on le ferait en présence d'un hôte.
- Faire attention à ce qu'on dit, et, quoi qu'on dise, s'y tenir.
- Quand vient une occasion, ne pas passer à côté, mais toujours y penser à deux fois avant d'agir. Ne jamais regretter le passé, mais regarder vers le futur.
- Avoir l'attitude sans peur d'un héros, et la nature aimante d'un enfant.
- En se couchant, dormir comme si ce devait être son dernier sommeil.

- Au réveil, quitter son lit instantanément, comme si l'on rejetait une paire de vieux souliers.

Ces règles, à n'en pas douter, sont excellentes. La tendance bouddhiste, monastique, qui parcourt le Zen, est pleine de bons conseils de cette sorte, qui, comme tous les bons conseils, sont difficiles à suivre. Mais nous devons essayer de vivre aussi moralement que nous le pouvons. Cependant, le Zen n'est pas un prix scolaire pour bon comportement. Il est sauvage, imprévisible, et parfois capricieux. La conduite morale n'est pas quelque chose à tourner en ridicule, mais, seule, elle ne rapproche pas d'un pouce du Zen.

Un moine Zen, après maintes années d'effort, ne pouvait trouver l'illumination. Il alla voir son abbé et demanda la permission de se retirer, ce qui fut accordé. Après avoir quitté le monastère, où il avait observé un strict célibat, il ressentit le besoin d'une femme. Il alla au quartier des plaisirs, et se trouva une prostituée. Au moment où ils commencèrent à faire l'amour, l'illumination le frappa.

Qu'est-ce que le
mérite ?

Quand sa femme mourut, le fermier fut éperdu de chagrin. Il paya un moine bouddhiste pour qu'il récite les Écritures.

"Ma femme obtiendra-t-elle du mérite de votre récitation ?, demanda le fermier.

– Oui, répondit le moine, et non seulement elle, mais aussi tous les êtres sensibles en bénéficieront.

– Ce n'est pas bien, répondit le fermier. Ma femme n'est pas très forte, et tous ces êtres sensibles vont lui voler sa part de mérite. Ne pouvez-vous pas réciter les Écritures pour elle seulement ?"

Le moine expliqua que les bouddhistes croient en l'obtention du mérite pour tous les êtres, et le fermier finit par être presque convaincu. Il dit cependant, après avoir réfléchi : "Mon voisin est désagréable et fait tout pour m'ennuyer ; aussi, pouvez-vous le séparer de tous ces êtres sensibles ?"

Le mérite est un concept bouddhiste. On le trouve dans tout le bouddhisme, mais c'est surtout l'école theravâdin qui insiste dessus. Il consiste à amasser des "bons points" spirituels qui permettront d'obtenir une
renaissance favorable. Le mérite peut être généré par des contributions
charitables ou, plus étrangement, par des actes pieux, comme appliquer
une feuille d'or sur des images du Bouddha et brûler de l'encens devant
elles. Dans l'histoire qui vient d'être racontée, payer pour une récitation
des Écritures était suffisant pour obtenir du mérite. Le fermier prend
une leçon de non-égoïsme. Cependant, aucun véritable disciple du Zen
ne perdrait son temps à évaluer le mérite qu'il a accumulé (le simple
fait de penser qu'il en a serait un indice
de sa banqueroute spirituelle).
De même, la mort et la
renaissance ne figurent
guère dans le programme
du zéniste.

Vous ferai-je un brin de conduite ?

Ninakawa était sur son lit de mort quand le maître Zen Ikkuyu l'interpella :

"Vous ferai-je un brin de conduite ? demanda Ikkuyu.

– Je suis venu seul ici et je partirai seul, répondit Ninakawa. Je n'ai certainement besoin d'aucune aide de votre part.

– Toutes ces allées et venues sont votre problème, répondit Ikkuyu. Laissez-moi vous montrer la voie sur laquelle il n'y a pas d'allée ni de venue."

Ninakawa fut profondément illuminé et sourit en mourant.

La farouche indépendance de Ninakawa est typique du Zen. Il avait fait de grands efforts, et il était allé haut dans la spiritualité. Cependant, il n'avait pas saisi que ni lui ni rien d'autre n'existe vraiment, et qu'il n'est aucun lieu d'où venir, ni où aller. Ikkuyu lui montra la vérité.

Le **ciel** et l'enfer
sont-ils réels ?

Un samouraï alla voir un maître Zen pour en recevoir un enseignement, mais il était à l'évidence plein de suffisance.

"Le ciel et l'enfer sont-ils réels ?, demanda-t-il.

– Je vois que vous êtes un soldat, répondit le maître, mais vous m'avez tout l'air d'un pauvre hère.

– Comment osez-vous parler ainsi à un samouraï ?, cria l'homme, qui saisit la poignée de son épée.

– Oh ! Vous avez une épée !, dit le maître avec dédain. Elle ne semble pas très aiguisée. Peut-être l'utilisez-vous pour couper du bois."

Alors le samouraï fut hors de lui, et dégaina son épée.

"Et là commenta le maître Zen, s'ouvrent les **portes de l'enfer**".

Le samouraï, se reprenant soudain, rengaina son épée.

"Là, continua le maître, se trouvent les **portes du ciel**".

Les histoires Zen mentionnent le ciel. Mais il n'a que peu de rapport avec le ciel des chrétiens. Il s'agit d'états mentaux que l'on peut réaliser ici et maintenant. Le Zen ne dit pas grand-chose quant à l'après-vie, mais il s'intéresse à l'état du mental. La vie a de nombeux enfers, comme le deuil, l'accoutumance, la haine et la jalousie. Même l'amour peut être un enfer. Quiconque pense que ces enfers sont moins graves que ceux de Dante ne les a sûrement jamais éprouvés. Il y a aussi des cieux et, bien qu'ils ne soient jamais permanents, ils nous conduisent dans la bonne direction. Dans le Zen, il ne vous est pas demandé d'examiner l'état de votre conscience ou de voir si vos bonnes actions contre-balancent avantageusement le poids de vos péchés (le péché n'est pas vraiment un concept bouddhiste). On vous incite plutôt à observer de près l'état de votre mental.

Cet esprit-même est-il le Bouddha?

Un maître Zen demanda à son disciple : "Ce rocher, là-bas, est-il dans votre esprit, ou à l'extérieur ?"

Le disciple répondit : "On nous enseigne que tout est une objectivation du mental. Aussi, le rocher doit être à l'intérieur de mon mental."

Le maître lui dit alors :

> "Comme votre tête doit être lourde,
> avec un tel rocher à l'intérieur !"

Les idées de corps et de mental perturbent les gens. Tout ce dont vous êtes conscient doit être dans votre mental. S'il n'y était pas, vous n'en seriez pas conscient. Ainsi, votre corps n'existe qu'en tant qu'objet du mental. Ce n'est pas une théorie habile ; c'est évident. Si quelque chose n'est pas dans votre mental, alors, pour vous, il ne peut exister. Si, pour vous, il existe, le seul lieu où il peut être, c'est dans votre mental.

Pourquoi Kasan a-t-il transpiré ?

Kasan un maître Zen éminent, reçut l'ordre de conduire les funé-
railles d'un grand seigneur. Il était très nerveux, parce qu'il
n'avait pas l'habitude de traiter avec les membres de l'aristo-
cratie. Bien que la cérémonie se passât bien, pendant tout le
service, Kasan fut tendu, et en sueur. Il dit après cela à ses
disicples que, parce qu'il ne pouvait garder son calme sous
tant de pression, il n'était pas digne d'être leur maître. Il rede-
vint disciple du Zen pendant quelques années, et reprit son
enseignement quand il fut pleinement illuminé.

Ce n'est pas, comme on pourrait le croire, une histoire illustrant la
nécessité d'être calme sous la pression. La faute de Kasan était que, une
fois qu'il avait quitté le calme du monastère, il était incapable de garder
son esprit pur. Il permit aux perceptions sensorielles de le déstabiliser.
Un maître Zen véritable aurait considéré le puissant seigneur comme
une ride à la surface de l'eau, et serait resté impavide.

Croyez-vous aux fantômes ?

Une épouse mourut. Elle aimait beaucoup son mari et lui fit promettre de ne jamais se remarier. Elle lui dit que, s'il trahissait son serment, elle reviendrait le hanter. Pendant quelque temps, son mari resta fidèle, mais, comme il était très jeune, il fut bientôt en manque de femme. Il rencontra une fille qu'il aimait et décida de se remarier. Immédiatement, le spectre de son épouse défunte lui apparut. Elle ne le réprimanda pas seulement pour son infidélité, mais elle le plongea aussi dans l'embarras, en lui racontant avec force détails ce que lui et sa nouvelle épouse avaient fait. Épouvanté, l'homme chercha de l'aide auprès d'un prêtre Zen. Le prêtre dit à l'homme de mettre des pois secs dans sa poche. La prochaine fois que le fantôme ferait son apparition, il devait prendre une poignée de pois, sans regarder, et mettre le spectre au défi de lui dire combien de pois il tenait. Si elle pouvait le faire, il quitterait sa nouvelle épouse ; mais dans le cas contraire, le fantôme cesserait de le tourmenter. L'homme suivit le conseil et, dès qu'il eut formulé le défi, le fantôme poussa un cri de colère et s'en fut.

Le mental et ses fonctions sont ce qu'il y a de plus important dans le Zen. Bien qu'il n'y ait guère de points communs, en ce qui concerne l'Esprit entre la psychologie moderne et les enseignements Zen, il est indubitable que les maîtres Zen ont toujours su comment le mental opère. Cette histoire est un bon exemple d'un homme qui, affligé par la culpabilité, rêve le fantôme de son épouse morte. Étant donné que le spectre n'est qu'une projection de son propre mental, le seul moyen de le confondre, c'est de lui poser une question à laquelle il ne connaît pas lui-même la réponse.

Faut-il être pauvre pour pratiquer le Zen?

Les récits Zen sont pleins de moines, de mendiants, aux robes rapiécées, vivant sous des ponts, et il y a même un marchand de vinaigre qui se révéla être un maître Zen.

On voit aussi souvent rappelé que la richesse, le luxe et l'aisance, ne sont pas propices au Zen.

Cela signifie-t-il que nous devions quitter notre foyer et être à la rue ? Si c'était le cas, il y aurait peu de volontaires. Il est vrai que certains chercheurs audacieux se sont rendus dans des monastères japonais où ils ont étudié le Zen, souvent dans de dures conditions. Mais la plupart ne sont ni désireux ni capables de suivre leur exemple. Le Zen leur est-il pour autant interdit ? Je ne le pense pas. Je me suis efforcé, tout au long de ce livre, de marquer une distinction entre le bouddhisme Zen – monastique, plutôt ascétique, et parfois collet monté – et le Zen même, qui est imprévisible, insondable, et omniprésent. L'éclair Zen vous frappera si vous vous y ouvrez. Certainement, un penchant pour une vie facile est une sorte d'attachement. Mais le penchant pour la pauvreté n'est-il pas aussi un attachement (et aussi un exemple de pensée dualiste) ? Si vous cherchez sincèrement le Zen, soyez sûr que le Zen vous cherchera partout où vous serez.

Qu'est-ce que la renaissance ?

Le bouddhisme propose une croyance en la renaissance. Ce n'est pas réellement **"vous"**, mais la chose illusoire qui pense être vous qui renaît, parce qu'elle ne peut s'affranchir du cycle des morts et des naissances.

Il y a peu de raisons pour que cela ne soit pas. Si vous croyez dans le karma, il est clair que votre histoire ne peut finir simplement parce que vous mourez. Ce serait comme si un rideau tombait sur la scène à la fin du premier acte, et ne se relevait jamais, pour que la représentation aille à sa conclusion.

Les gens qui passent beaucoup de temps à pratiquer **zazen** ne sont plus impressionnés par le dogme : "**Quand vous mourrez, votre corps et votre cerveau pourriront, et ce sera votre fin.**" Il est clair que cette opinion n'est pas la vérité intégrale. Les bouddhistes et d'autres gens remarquent que les enfants, dont la personnalité est considérée communément comme les effets conjugués de la culture et de la nature, montrent souvent des caractéristiques qui semblent n'être venues d'aucune de ces deux sources. De même, les gens âgés, même ceux dont le contexte culturel ne comporte pas ces croyances, sont souvent convaincus qu'ils auront un nouveau "départ".

En ce qui concerne le Zen, la renaissance est hors sujet. L'objet du Zen est d'obtenir l'illumination dans **cette** vie. Rien de moins ne fera l'affaire. Aussi trouverez-vous bien peu de références à aucune sorte d'après-vie dans la littérature Zen, mais, parce que la plupart des adeptes du Zen sont aussi des bouddhistes, il y a une acceptation implicite de la renaissance.

Un monde à la fois.

Henry David Thoreau

Comprendrai -je jamais le Zen?

Si vous entendez "*comprendre*" comme, par exemple, comprendre les règles du football, ou les équations, alors la réponse est *non*. Vous finirez par acquérir une compréhension intuitive, mais ce sera comparable à l'apprentissage du vélo. En d'autres termes, vous pouvez le faire mais, si l'on vous demande *comment* vous le faites, vous ne pourrez répondre.

En outre, vous serez incapable de transmettre directement votre compréhension. Pour reprendre la comparaison avec l'art de faire de la bicyclette, avez-vous jamais essayé d'expliquer à quelqu'un comment monter ? Vous courez à côté de l'apprenti, peut-être en le tenant, ou en l'aidant un peu à garder son équilibre, mais rien de ce que vous direz ou ferez ne fera venir ce moment magique où un déclic se produit, et où l'on commence à se débrouiller tout seul

C'est un paradoxe Zen : plus vous vous en tiendrez fermement au Ne Pas Savoir, plus vous comprendrez.

Ne dois-je pas être
végétarien?

Les bouddhistes croient en la sainteté de la vie. Aussi, à la différence de la plupart des autres religions, la croyance prévaut, que toutes les créatures finiront par atteindre l'illumination. Cela signifie que le végétarisme est observé dans toutes les écoles de bouddhisme, et le Zen ne fait pas exception. En revanche, certains bouddhistes mangent de la viande (avec des jours maigres, et cessant quand ils atteignent l'âge de la retraite).

Il était une fois un **shogun** (seigneur) qui décida de s'amender pour son passé violent, en observant strictement les enseignements bouddhistes sur la sainteté de la vie. Il interdit non seulement qu'on mange de la viande, mais aussi que l'on tue aucune créature vivante. En outre, si quelqu'un passait à côté d'un chien, il devait le saluer avec respect. Le chaos s'ensuivit. Pendant des semaines, le pays fut ravagé par des maladies, parce que rien ne pouvait être tué. Les animaux surabondants mangèrent les récoltes et bientôt la population fut au bord de la famine. Cette histoire est une mise en garde : la compassion, poussée aux extrêmes, peut être dangereuse.

Quel est le meilleur moment pour zazen ?

C'est une affaire de goût personnel. Si vous êtes quelqu'un d'affairé, avec un travail et une famille, vous ne pourrez guère faire plus d'une séance d'une demi-heure par jour. C'est très bien. Ce n'est pas un problème.

Le matin est un moment excellent. Une séance avant le petit déjeuner vous mettra en forme pour le reste de la journée. Malheureusement, si vous êtes débutant, vous vous apercevrez que votre mental est très agité à une heure si matinale, et vous aurez peut-être du mal à le contrôler. Mais je vous le conseille, si vous êtes un lève-tôt. Je fais toujours zazen le soir. Travaillant à mon compte et chez moi, je n'ai pas de long voyage fatigant après le travail ; je me sens très frais à ce moment de la journée. Les gens qui rentrent chez eux fatigués peuvent trouver que le soir est un moment difficile.

La meilleure chose à faire, c'est d'essayer des moments différents, et voir quel est celui où vous êtes le plus éveillé, où vous êtes le plus à même de maîtriser vos pensées. Si vous êtes insomniaque, vous pouvez faire zazen aux petites heures (en finissant de préférence avant 3 h 30, pour ne pas avoir de difficulté à vous lever). Une période de zazen au milieu de la nuit bannit l'anxiété et promeut un sommeil profond, relaxant, paisible. Essayez, et vous n'aurez plus besoin de somnifères !

Et si je m'endors?

On dit que Daruma fut si fâché de s'endormir tandis qu'il méditait, qu'il se coupa les paupières avec un couteau. Quand il les jeta, elles prirent racine, produisant le premier théier. Le thé était un moyen prisé par les moines Zen, pour rester éveillés.

Dans les monastères Zen, le moine le plus ancien empêche les moines de somnoler en les frappant énergiquement sur les épaules avec un grand bâton plat. Vous ne pouvez vous payer ce luxe chez vous. Les mesures extrêmes ne seront d'aucun secours. Si vous êtes fatigué, vous devez dormir, et zazen sera impossible tant que vous ne l'aurez pas fait. Je pense que la meilleure réponse, c'est de vous permettre de somnoler quelques minutes pendant *zazen*, et, alors, quand vous émergez rafraîchi, de reprendre là vous l'avez laissé. Si vous êtes vraiment fatigué, abandonnez et allez vous coucher.

Je recommande toujours de méditer les yeux ouverts (plutôt qu'à demi-ouverts, selon la méthode Zen correcte). Cela peut sembler étrange au début, mais vous vous y habituerez et vous vous apercevrez que non seulement ça aide à rester éveillé, mais que ça empêche aussi de tomber dans des états de transe.

Qu'est-ce que le Zen 'Beat'?

Les Beats furent un phénomène de l'Amérique de l'après-guerre. Les noms les plus célèbres associés à ce mouvement furent mais il y en a

Jack Kerouac,

Allen Ginsberg,

et Lawrence Ferlinghetti,

beaucoup d'autres. Ils étaient écrivains, poètes, artistes et musciciens, menant une vie plutôt dissolue, voyageant à travers l'Amérique, essayant tout ce que la 'vie' a à offrir. Ils avaient une mauvaise réputation, due surtout à leur attitude 'libre' vis-à-vis de la sexualité et des drogues. Certains d'entre eux s'intéressèrent au bouddhisme, et particulièrement au Zen. Cet intérêt ne fut pas bien accueilli par les groupes résolument "classe moyenne" qui considéraient le Zen comme leur chasse gardée. Les Beats ne firent guère de mal, sauf à eux-mêmes ; ils voulaient vraiment explorer (même les voies dangereuses) et cette exploration est tout à fait dans la tradition du Zen. Leurs écrits attirèrent des gens vers l'étude du Zen, qui, autrement, l'auraient ignoré. Ce ne sont peut-être pas les éléments les plus importants de 'l'histoire' du Zen, mis ils ne méritent pas la haine tenace qu'on leur a vouée.

Le Zen est-il seulement un jeu pour les gens à l'esprit vif?

Quand un moine demanda à Ummon : "Qu'est-ce que le Bouddha", celui-ci répondit : "De la bouse séchée".

Quand un moine demanda à Baso : "Qu'est-ce que le Bouddha", celui-ci répondit : "Ce mental ne peut atteindre le Bouddha."

Pour les gens qui ignorent le Zen, cela donne l'impression d'une sorte de jeu de mots ou d'énigme étrange de la pensée latérale. Les maîtres Zen non seulement ne donnent pas de réponses "directes", mais ils donnent aussi rarement la même réponse deux fois. Mais les réponses sont-elles simplement dépourvues de sens ? Non, pas du tout.

Si vous êtes troublé, très bien. À cette étape, vous êtes censé être dans la confusion. Vous avez été formé depuis votre naissance à penser d'une certaine façon. Vous avez été conditionné à penser que c'est la seule façon de penser, et que tous les gens sains d'esprit font comme vous. Le Zen cherche à briser cette mainmise et vous fait entrevoir la possibilité que vous, et tous les autres, vous êtes trompé. Le bouleversement du tableau logique fait partie de ce processus.

Ne vous en faites pas si vous ne pouvez saisir ce qui se passe. Ce n'est pas un exercice intellectuel. Si vous avez pensé que vous pourriez le saisir, vous vous trompez. Cependant, quand vous progresserez dans votre formation Zen, vous vous sourirez à vous-même en pensant :

"Oh ! Alors, c'est ce qu'il voulait dire !"

Je suis ici, je ne peux pas faire autrement, c'est la vérité.

Martin Luther

Pourquoi Martin Luther est-il entré ici ?

Mon oncle, un ecclésiastique ardemment protestant, me donna un jour une médaille commémorative avec la prière de Martin Luther sur le revers, et son portrait sur l'avers. J'avais neuf ans, et cela ne fit sur moi aucune impression. Je trouvais que la prière avait un petit air faiblard. Je grandis, et ma compréhension aussi ; beaucoup de choses se remirent à leur place. Luther réalisait qu'il n'y a rien que l'on puisse faire pour L'obtenir. Il réalisait même qu'il est tout à fait hors de propos, en dépit de tout ce que les saintes gens et les saints écrits prétendent, de spéculer sur ce que Cela pourrait être en fait. Si, cependant, vous vous ouvrez à l'expérience, Cela peut vous frapper comme l'éclair. Sa prière n'avait rien à voir, comme je l'avais d'abord imaginé, avec la faiblesse et l'abandon ; elle a trait à l'ouverture à quelque chose que l'on est incapable de saisir, et à la volonté de la laisser prendre la direction de soi. Ceux qui espèrent l'obtenir par la foi ou les bonnes œuvres sont, en dépit de leurs bonnes intentions, égarés. On doit finir par laisser l'éclair frapper. La pratique Zen a pour dessein de se rendre disponible à cette expérience.

Et les enfants qui
meurent de faim?

Chaque fois que vous parlerez du Zen, quelqu'un finira toujours par dire quelque chose comme :

"Oui, tout cela est très bien, mais les enfants qui meurent de faim au Soudan... ?"

Le groupe mentionné variera selon la dernière catastrophe médiatisée par la TV, mais cela implique toujours que le Zen est une sorte de confort intellectuel pour gens de la classe moyenne, mais qu'il ne sert pas à grand-chose dans les pays où sévissent la famine et la guerre. C'est tout à fait vrai, mais le Zen n'a pas la prétention des religions 'universalistes', comme le christianisme. Le Zen se présente comme une voie de libération pour ceux qui sont qualifiés pour la suivre. Beaucoup de choses que le prêt-à-penser impose à notre adoration (démocratie, électricité, 'art', glaces, journaux, TV, pour ne nommer que quelques 'idoles' du consumérisme), ne sont pas accessibles de façon abondante à beaucoup de peuples, mais que diraient les humanitaristes professionnels si on leur proposait d'abandonner les éléments majeurs de leur spectacle ? Le Zen encourage la compassion. C'est l'un des meilleurs moyens de travailler sur soi-même, et de raffiner son esprit et son caractère (ce qui ne veut pas dire que les Zénistes deviennent immédiatement des 'saints' !). Cependant, si vous pensez que le Zen contribuera à 'sauver le monde', au sens humanitariste moderne, vous allez au-devant d'une grande déception.

Dois-je me joindre à un groupe ?

Pour ma part, je déteste les groupes (j'appartiens à l'École de Zen du Vieux Grincheux), mais certaines personnes apprécient la compagnie, et le travail en commun.

Pourquoi pas ? Les États-uniens n'auront aucune difficulté à trouver des groupes Zen. On en trouve bien sûr à Los Angeles, et même dans des endroits imprévus, comme Houston, Texas.

La plupart des groupes sont présents sur Internet (tapez juste "Zen", et vous recevrez plus d'informations que vous n'en pourrez traiter). Selon mon expérience, les groupes américains accueillent toujours bien les étrangers, et, dans la mesure du possible, ils vous permettront de vous joindre à leurs activités. Il y aura tout au moins toujours quelqu'un pour répondre à vos questions et donner des conseils.

Si vous ne vivez pas aux États-Unis, vous aurez plus de difficultés. Il y a des groupes européens, et, une fois encore, Internet est le meilleur moyen de les trouver. Cependant, ils ne sont pas très nombreux. La tradition Zen ne s'est pas beaucoup répandue en Europe. Mais le bouddhisme présente l'avantage de ne pas être sectaire, et, si vous êtes intéressé, vous trouverez des organisations comme le Buddhist Centre à Cambridge, Angleterre, qui accueille des bouddhistes de toutes les écoles (bien qu'il soit plutôt Theravadin).

Y a-t-il des choses dont je dois me méfier quand je pratique zazen?

Zazen est bénéfique dans presque tous les domaines auxquels vous pouvez songer. Cependant, on a tendance à être étonné du caractère 'physique' des résultats. L'énergie que vous générez circule dans le corps d'une manière qui – jusqu'à ce que vous vous y accoutumiez – peut être quelque peu inconfortable. La sensation à laquelle je peux comparer cela, c'est l'afflux d'un sang riche en adrénaline, causé par une séance d'exercices durs. Si vous pensez que le Zen est "spirituel" (au sens de mental), vous serez surpris. Les effets de l'expérience se manifestent à ce que la plupart des gens considèrent comme le niveau physique, et, même s'ils finissent par devenir familiers et réconfortants, vous pouvez vous sembler un peu bizarre tant que vous ne vous y êtes pas pleinement habitué. La chose plutôt désagréable qui arrive (selon mon expérience, pas très souvent), c'est un léger mal de crâne, comparable à ce que vous pouvez sentir quand vous inhalez de l'air très froid. Cela peut vous gêner, mais c'est peu fréquent, et peu durable.

N'importe qui peut-il pratiquer le Zen?

La réponse est "non."

Le Zen convient à certaines personnes. Autant que je sache, il ne s'agit pas d'un **type** particulier de personnes (je n'ai jamais remarqué aucune autre caractéristique commune), mais il y a des gens qui sont précisément des gens Zen. Si c'est votre cas, vous le saurez probablement. Je me rappelle avoir suivi le Zen avant d'avoir une idée claire sur ce qu'il était. J'ai lu un livre sur le bouddhisme, et quand je suis arrivé au chapitre sur le Zen, j'ai immédiatement pensé : "Oui !" Une autre chose dont les personnes Zen font souvent l'expérience, c'est le sentiment que le Zen n'est pas simplement un "sujet" passif, comme l'anglais ou la trigonométrie, mais qu'il est d'une certaine manière actif. En d'autres termes, le Zen peut vous choisir, que vous le vouliez ou non. Ceux qui sont enclins au rationalisme rejetteront naturellement ce genre de notion 'mystique'. À moins qu'ils ne soient 'choisis'...

Si vous pensez que le Zen pourrait être pour vous, le seul moyen de le découvrir, c'est d'essayer. Admettez que le Zen ne sera pas facile au début, et qu'il faut apprendre. Deux mois d'effort vous diront si le Zen est votre Voie ou si vous devez en chercher une autre.

Tout ce que je fais est-il zazen ?

Une jeune mère américaine exprima dans un e-mail sa frustration, parce que, à cause de ses devoirs de mère, elle n'avait plus le temps de pratiquer zazen. Son maître fit remarquer que s'occuper d'un bébé est **zazen** et qu'elle disposera de beaucoup de temps pour s'asseoir sur un coussin jambes croisés quand l'enfant aura grandi.

Oui, absolument **tout** ce que vous faites est **zazen.**

Ou, du moins ce le sera quand vous saurez ce que cette déclaration irritante signifie vraiment ; ça a l'air d'un vœu pieux, du genre "tous les hommes sont frères", ce qui ne veut pas dire grand-chose, et n'est pas d'un grand secours. À un certain moment, quelqu'un qui pense être intelligent choisit un acte 'mondain' et demande : 'Est-ce zazen ?' Oui, bien sûr ! À mesure que votre pratique mûrit, elle se distingue de moins en moins de votre vie "ordinaire". Zazen n'est pas, comme je ne me lasse jamais de le dire, s'asseoir en état de transe, envisageant des choses maginifiques. Il consiste à être Ici et Maintenant et d'exprimer votre Soi véritable de la façon la plus simple et la plus directe possible. Ce qui le rend si difficile, c'est son aveuglante simplicité.

Qu'est-ce que
le samâdhi?

Stricto sensu, samâdhi désigne l'étape ultime sur la voie de l'illumination. Mais le mot est aussi utilisé pour signifier un état avancé de méditation. Malheureusement, on a tendance à l'utiliser avec l'épithète "profond". Cela donne l'impression qu'il consiste en une transe profonde. Au cours d'une séance de questions-réponses, quelqu'un demanda à un maître Zen si une personne illuminée avait encore besoin de faire zazen. La réponse fut affirmative, mais le maître ajouta que quelqu'un qui était illuminé n'avait besoin que de deux respirations pour entrer en "samâdhi profond". C'est certes vrai, mais cela donna au malheureux questionneur l'impression que ceux qui ont eu l'illumination sont en permanence dans "le monde des esprits."

Mes proches me disent des choses qui sont arrivées, qu'ils sont convaincus que j'ignore, parce que "tu faisais ta méditation quand c'est arrivé". Je n'arrive pas à les convaincre que je n'étais pas sur une autre planète ou un autre plan astral, mais que je pouvais entendre tout à fait bien et en détail tout ce qui s'est passé dans la maison, y compris toutes les choses (comme les colombes roucoulant sur le toit) qu'ils ne **pouvaient pas** entendre. Ils n'en tiennent pas compte. Il leur semble évident

que quiconque médite n'est plus

de cette terre.

Qu'est-ce que le samsâra ?

Samsâra est le nom que les bouddhistes donnent au monde de la naissance et de la mort, le monde "normal" où l'on est "quotidiennement" – ça a l'air simple, jusqu'au jour où l'on s'aperçoit que le monde quotidien est aussi le monde de l'illumination. Il n'y aura, à aucune étape, d'éclair aveuglant après lequel vous serez transporté au paradis. Le Zen n'est pas cela. C'est beaucoup plus comme une image truquée qui ressemble à une vieille dame jusqu'à ce que, soudain, vous changiez votre point de vue et voyiez l'image d'une jeune fille. La différence est que, si les deux images truquées sont également valides, dans le zen, seule l'une des visions est la vision véritable.

Avec quelle fréquence dois-je méditer ?

La méditation est importante pour le Zen, mais elle n'est pas tout. Comme je l'ai dit ailleurs, vient un moment où tout ce que vous faites est zazen. La posture assise formelle est un bon entraînement, et vous en tirerez de profondes satisfactions, mais vous ne devez pas aller jusqu'à vous en rendre esclave. Imaginez que vous choisissiez toujours le même marteau dans votre boîte à outils. Quelle sorte de menuisier seriez-vous ?

J'ai l'habitude de méditer le soir, mais j'essaie de ne pas m'attacher à ma pratique, au point d'être bouleversé si pour une raison ou une autre, je ne peux pas méditer. Cette sorte d'attachement est un obstacle à votre compréhension. Le Zen doit se répandre sur toute votre vie. Plus encore. Le Zen **est** votre vie entière.

Si vous lisez de la littérature Zen, vous trouverez des histoires de gens qui se livrent à des séances héroïques de méditation. L'un des plus célèbres est Bodhidharma, qui, dit-on, resta face à un mur pendant neuf ans. Il faut peut-être prendre cela *cum grano salis*, mais vous tomberez souvent sur des récits de disciples qui méditent dix heures par jour. C'est vrai, mais ce n'est pas une pratique quotidienne. Dans les centres Zen, il est habituel de suivre des sessions de méditation intense d'une semaine. Ce grand effort sert à pousser les gens par-dessus le bord du satori. Vous penserez peut-être que c'est plus que vous ne pouvez réaliser. Peu importe. De courtes périodes d'une demi-heure suffisent à vous aider à faire de réels progrès.

235

La méditation n'est pas
un moyen qui mène à une fin.
C'est à la fois le moyen
et la fin.

Krishnamurti

Comment savez-vous que le satori existe réellement?

C'est une bonne question. Je ne peux vous dire si j'ai jamais rencontré quelqu'un qui a eu l'expérience du satori. Il y a de nombreuses histoires, anciennes et modernes, de gens qui ont eu cette expérience. Beaucoup de ces histoires sont tout à fait crédibles (quelques-unes sont quelque peu suspectes) mais trouver quelqu'un qui veuille proclamer qu'il a eu l'expérience du satori n'est pas chose facile. Même un maître respecté comme Shunryu Suzuki déclara qu'il n'avait jamais eu de satori. À mesure que votre expérience Zen progresse, vous commencez à vous rendre compte que vous n'avez pas été trompé par un tas de charlatans, mais que votre compréhension du Zen et du satori n'était pas assez profonde.

Pour faire l'expérience du **satori**, vous devez développer une valeur considérable. Vous devez affronter Ne Pas Savoir de tout votre pouvoir, et, une fois que vous êtes arrivé au point où vous êtes complètement paralysé par lui, le barrage se brise. La plupart des gens qui vivent hors du Japon pratiquent d'une façon beaucoup plus douce. Ils laissent leur compréhension mûrir lentement, sur une période de plusieurs années, et, ainsi, n'ont jamais d'expérience soudaine d'illumination. Cela ne signifie pas qu'ils ne deviennent pas illuminés.

Êtes-vous illuminé?

Parlez du Zen assez longtemps, et quelqu'un, arborant un léger sourire moqueur, dira : "Et vous, alors, vous êtes illuminé ?" C'est une question quelque peu embarrassante. Si vous admettez que vous n'êtes pas illuminé, les gens seront tout à fait en droit de mettre en doute votre droit à donner des conseils au sujet du Zen. Si vous revendiquez l'illumination, c'est alors que vos problèmes commenceront vraiment. On s'attendra à ce que vous marchiez sur l'eau, et multipliiez les pains. On peut toujours dire quelque chose de mystérieux qui sonne Zen ("Le ciel est bleu, les nuages sont blancs", a un air assez mystique) pour éluder la question, mais je suis sûr que c'est malhonnête.

Imaginez que vous soyez un artiste et que quelqu'un vous demande : "Êtes-vous un grand artiste ?" Que répondriez-vous ? L'illumination est un peu comme cela. Ce que je dis, c'est que j'étudie le Zen depuis vingt-cinq ans. Chacun est libre d'apprécier les fruits de mon étude pour ce qu'ils valent. Mais ils devront décider tout seuls si je vaux la peine d'être écouté, parce que c'est une décision qui ne me revient pas.

Les maîtres Zen peuvent-ils accomplir des miracles ?

Je me trompe peut-être, mais je pense que le Zen est la seule discipline spirituelle qui admet que les adeptes puissent accomplir des miracles, mais qui considère cette faculté avec la plus grande suspicion. Je n'ai jamais entendu parler d'un maître Zen dont le prestige aurait été accru par l'accomplissement de miracles. Voici deux histoires à ce sujet.

Un maître vit l'un de ses disciples les plus anciens traverser une rivière en marchant sur l'eau. "Venez ici !", brailla-t-il. Il conduisit le disciple à une lieue en aval à un bac et le fit monter à bord. "C'est ainsi, dit-il sévèrement, que l'on traverse une rivière".

Dans une autre histoire, deux moines qui voyagent ensemble arrivent à une rivière gonflée par les pluies. L'un d'eux ôta son chapeau, le jeta dans l'eau, monta dessus et traversa ainsi. Son compagnon dit dédaigneusement : "Si j'avais su quel genre de compagnon j'avais, je lui aurais brisé les jambes !"

L'esprit est-il réellement pur?

Le maître coréen Seung Sahn dit : "Un esprit clair est comme la pleine lune dans le ciel. Parfois, des nuages viennent qui la couvrent, mais la lune est toujours derrière eux. Les nuages s'en vont et la lune brille de tout son éclat. Aussi, ne vous faites pas de souci pour l'esprit clair ; il est toujours là."

Le Zen considère l'esprit d'une façon si différente que celle que l'on nous a inculquée, qu'un choc considérable se produit quand on en prend connaissance. Si vous avez été élevé dans l'une des trois religions monothéistes, vous êtes familiarisé avec l'idée d'être un pécheur, et que si vous n'êtes pas racheté d'une façon ou d'une autre (selon la religion à laquelle vous appartenez), c'est sans espoir pour vous. Le point de vue bouddhiste, c'est que votre esprit originel est pur. En fait, étant donné que l'Esprit est tout ce qui est, rien ni personne ne peut le rendre impur.

On peut, bien sûr, être stupide, ignorant, cruel, luxurieux, avide, ou hai-
neux, mais on n'est pas mauvais. C'est plutôt comme si on s'était roulé
dans la paille, et que ses habits se soient salis. Il n'est pas douteux
qu'on a l'air sale, mais la saleté n'est pas soi, c'est quelque chose qu'on
a acquis et qui colle au soi réel, qui, dessous, est toujours parfaitement
propre.

Cette idée d'un mental originellement pur est fondamentale dans le
Zen. Elle sous-tend la spontanéité et l'agir "avant la pensée". Elle met le
Zen en désaccord non seulement avec certaines grandes religions, mais
aussi avec les théories psychologiques. Freud et les autres types du
même acabit n'acceptaient peut-être pas le péché originel, mais ils sou-
tenaient que le mental est un lieu obscur et dangereux habité par des
monstres (monstres qu'ils étaient les seuls qualifiés à tuer, moyennant
finance). L'idée qu'il n'y a rien de mauvais en soi a apporté
un grand soulagement à beaucoup de gens, qui étaient
las de porter ce fardeau imaginaire de culpabilité
et de blâme.

Qu'est-ce que le nirvâna ?

Le Nirvâna

est parfois conçu, même par des bouddhistes, qui devraient avoir une meilleure connaissance, comme la version bouddhiste du ciel. D'autres, un peu plus subtils, le considèrent comme un état mental suprêmement élevé. Les indices donnés par les patriarches sont confus. Une maxime dit : "À ceux qui disent que le Nirvâna est impermanent ;
répondez qu'ils se trompent.
À ceux qui disent que le Nirvâna est permanent,
répondez qu'ils mentent."

À mesure que vous continuez votre formation Zen, vous sentez de plus en plus que vous n'êtes pas juste dans l'univers, mais que vous êtes lui et qu'il est vous. Pensez à un bloc de glace flottant dans la mer. La glace est-elle différente de la mer ? Pour ce qui est de la forme, peut-être, mais fondamentalement, non. Quand cette glace fond, est-elle perdue ? Non, bien sûr. La glace est la mer et la mer est la glace. C'est très bien comme concept intellectuel, mais c'est quand vous sentirez cela dans la moelle de vos os que vous saurez ce qu'est le nirvâna.

Pourquoi le Zen est-il si plein de contradictions?

Le Zen est le mental seul.
Le Zen est le non-mental.

Le Bouddha est trois livres de lin.
Vous êtes le Bouddha.

La nature contradictoire du Zen est légendaire. Certaines personnes le trouvent totalement exaspérant. Elles pensent que quand la signification des mots est sapée de cette façon, c'est la base entière de notre monde qui est sapée – et c'est tout à fait ça. Les mots sont des symboles ; ils ne sont pas la chose véritable. Nous savons tous cela, bien sûr, mais parce que nous utilisons tout le temps ces symboles, nous en sommes inévitablement prisonniers. Le Zen défait les liens mentaux et force le disciple à regarder celui en face duquel il est. Quand cela commence à arriver, c'est une expérience étrange. Vous vous apercevez que vous avez regardé le monde à travers une paire de vieux rideaux qui obscurcissaient votre vue.

Tout cela est-il beaucoup de bruit pour rien ?

Quand le taoïsme chinois entra en contact avec le bouddhisme venu d'Inde, le résultat n'en fut pas l'intolérance religieuse, mais un nouvel épanouissement de la compréhension. Une chose que le bouddhisme et le taoïsme ont en commun, c'est un grand respect pour la non-existence. Ils ne considèrent pas l'absence de phénomènes comme un simple néant. Au contraire, la non-existence peut être très puissante.

Des amis japonais m'emmenèrent voir une exposition de peinture. Il y avait une vaste peinture représentant le confluent de deux rivières, qui m'impressionna particulièrement. De près, on ne voyait guère que du papier blanc avec quelques touches d'encre. Cependant, considérée à une distance convenable, il y avait toujours un grand espace blanc, mais maintenant, au lieu d'être simple néant, c'était très clairement la rencontre de deux puissantes rivières. Je n'ai jamais ressenti la même chose au sujet du "rien".

Pétrissez de l'argile pour faire
un pot,
mais c'est le rien intérieur
qui est utile dans
ce récipient.

Tao te Ching

Dois-je vaincre mon ego?

Beaucoup de religions prêchent la nécessité, pour les personnes, de vaincre leurs impulsions égoïstes. On trouve assez souvent cette attitude dans le bouddhisme Zen. J'ai connu un maître qui faisait balayer à ses disciples des feuilles par jour de grand vent, sous le prétexte explicite que la frustration qui devait en résulter était censée vaincre leur ego. Bien sûr, la vraie raison pour laquelle il faisait cela, c'était le plaisir de commander. Si vous considérez le Zen sérieusement, vous savez que vous inquiéter au sujet de quelque chose (que ce soit pour l'encourager ou le nier), est une forme d'attachement. Penser habituellement, "je suis quelqu'un de merveilleux" peut être un attachement à l'ego, mais penser "je suis juste un insignifiant petit ver qui ferait mieux de faire comme son maître lui dit", n'est pas mieux. Oubliez votre ego ! Laissez-le juste aller. C'est comme une égratignure – si vous vous grattez, cela n'arrangera pas les choses. Si vous tenez bon avec votre zazen, et que vous cessiez de vous tracasser au sujet du bien et du mal, vous suivrez petit à petit la bonne voie.

Remerciements

Je ne peux me rappeler un moment où je n'ai pas connu d'histoires Zen et de koans. Ils furent au début un mystère complet pour moi, mais cela faisait partie de leur séduction, et je fus déterminé à découvrir leurs secrets. Je les appris bientôt presque tous par cœur, et ce sont ces versions personnelles que je donne ici. Ceux qui veulent plus de références érudites peuvent consulter d'autres ouvrages sur le Zen.

Mon voyage de découverte ne fut rendu possible que grâce aux ouvrages de quelques pionniers. Ils sont trop nombreux pour que je les mentionne tous, mais parmi les traducteurs qui eurent sur moi le plus d'influence, je citerai Paul Reps et Nyogen Senzaki. Je mentionnerai aussi des interprètes comme Christmas Humphreys, John Blofeld et Alan W. Watts. Enfin, il y eut les maîtres. Je suis particulièrement heureux d'exprimer ma reconnaissance envers Shunryu Suzuki. Il est mort alors que j'étais encore adolescent, mais il a laissé un riche héritage dont nous continuons de bénéficier. Personne ne fit autant, non seulement pour apporter le Zen en Occident, mais aussi pour l'aider à s'épanouir dans un sol non familier.

Et je ne dois pas oublier Daruma. Son regard farouche est depuis longtemps une source d'inspiration, pour laquelle j'exprime toute ma gratitude.